新型コロナウイルスは、現代社会のもろさを露呈させている。と同時に、各国のリーダーたちの力量もまたあらわにしている。

この号の編集に着手したのは世界がまだコロナウイルスについてよくわかっていなかった1月中旬のこと。周知のようにそれからの2ヶ月で事態は急変しているが、以前より日本が抱えている問題は変わっておらず、むしろ悪化している。福祉や医療、低賃金や非正規雇用など格差社会における貧困と不平等は、むしろ経済の先行きが不透明な現在ではより深刻になりつつあるのではないだろうか。

山本太郎がもっとも強く主張する消費税の問題や反緊縮は、いまでは与野党ふくめて政界のトピックになっている。はからずも、２０１９年に前例を見ないほどの急激な躍進を遂げた山本太郎とれいわ新選組の政策は、国民的関心の議論のひとつとして俎上にある。

近い将来実施されるであろう総選挙を前に、あらためて考えてみたい。山本太郎から見える日本について。

CONTENTS

ele-king 臨時増刊号　山本太郎から見える日本　目次

INTERVIEW

山本太郎
政治家・山本太郎はどこから来て、どこへと向かうのか　004

内田樹
みんなが正しいことを言うけれど、そこには笑顔がない。もっとふざけた人がいていい。　046

宇都宮健児
「人にやさしい政治」を実現するには？　072

宮台真司
社会がつまらないんじゃない、お前がつまらないんだ！　098

望月衣塑子
一人ひとりの記者が声を上げていけば、いつかその声は連鎖を生み「社会変革」につながる　125

松尾匡
「生きているだけで価値がある」に行き着くための経済学　151

渡辺照子
諦めて生きるには人生は長い。でも諦めないでなんとかしなきゃと思うと、人生の時間は限られている。　215

COLUMN / TALK

斎藤幸平 山本太郎はポピュリストなのか？ 178

高島鈴 TikTok的、あまりにTikTok的な――「若者の政治的無関心」をひらく 182

白石嘉治 山本太郎と「知性」の再開ために 185

松本哉 昔ながらの民衆の生き方をすることが、カネばかりの資本主義社会へのいちばんの抵抗になる。 189

Mars89 ぼくらはバンクシーが描いたネズミかもしれない。社会にいるのに無視された存在かもしれない。それを可視化すること。 194

沖野修也 311以降の日本は現実を直視できないでいる。山本太郎が嫌がられるのはその現実を言うからでしょう。 199

マシュー・チョジック どうか日本はアメリカを真似しないでほしい。アメリカ式で進めていったら、日本も大変なことになります。 204

表紙写真＝岩沢蘭

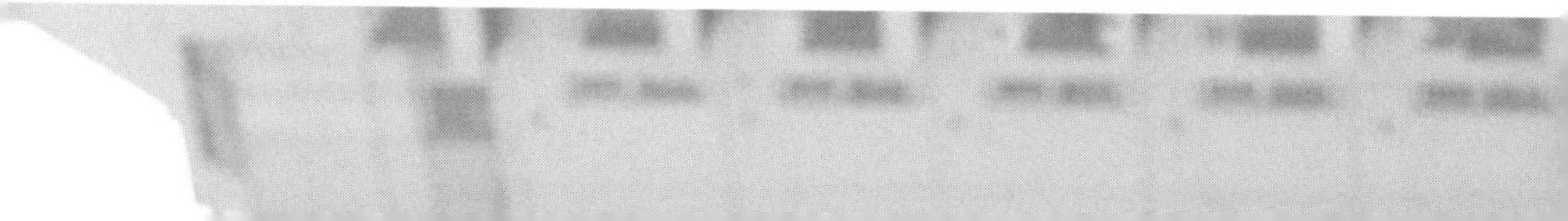

INTERVIEW

(1)

TARO YAMAMOTO

山本太郎

政治家・山本太郎はどこから来て、どこへと向かうのか

写真＝岩沢蘭

現下のパンデミックは、期せずして世界各国の政府や政治家の手腕をあらわにしている。脱原発から出発した政治家・山本太郎の「生命」にこだわる政治信条とそこから必然的に導き出される政策案は、生命の不安に怯え、差別が発生し、景気後退必至の現在に早くも試されている。与党政治家までが消費税減税を主張し、奨学金どころか光熱費支払い免除まで議論されるいま、その「原案」を全国で語り続けてきた山本の政治家としての思考と行動の軌跡を聞く。

それは、文明の転換期になりうるとも言われる新型コロナ禍が明けたとき、日本社会が選びうる提案となるか？

政治家として立った経緯

――政治家になった動機から聞かせてください。

山本　できれば政治家にはなりたくなかったんです、ずっと。ずっとというのはどういうことかというと、２０１１年に原発事故が起こったとき、声をあげました。しかし声を上げることによって、仕事がどんどん切られていくという状況になったんですね。決まっていたドラマを下ろされたりとか。例えば分かりやすいところでいうと、最後に一つ残っていたラジオのレギュラー番組があったのですが、そことは関係のない場所で政権批判をしたことがスポーツ新聞に載ると、ラジオ局の常務や専務クラスの人が収録しているスタジオに会いにきて、「こういう発言はやめたほうがいいよ、あなたのためにならない」と言われた。「でもこれは自分のプライベートで発言していることだから、問題ない」という話をしたら、番組終わりましたね（笑）。

　そんな状況になりながらも、それでも政治家になるという選択はしたくなかった。一方で、そんな活動を続けている私に対して、野党側の議員から「一緒にやろう」という話は出てきてはいましたね。要は客寄せパンダとして使えるかもしれないという期待だったのでしょう。そういうアプローチはあったんです。私としては、一応やる気はあるように見せておいて、周囲の心ある政治家たちとつながりを固めていきながら、新しい動きを作れたらいいと思っていたんです。つまり、政治に関心があるふりをしながら、実は政治家たちが集まることができるような場所、枠組みができたらいいなあと思っていた。最終的には私自身はその中には入らない、というつもりだったんです。でもそんな頃、首相だった民主党の野田（佳彦）さんがいきなり「解散」と言い出したんですね。その瞬間、それまで交流のあった議員たちとも一切の連絡が取れなくなったんです。「解散」の一言でいきなり選挙になるわけだから、それぞれの議員が生き残りをかけた準備に入るわけですから、悠長な話はしていられなくなる。

　連絡も取れなくなって、だったらもういいかと思っていたんですが、「民主党政権が自民党政権に変わる」ということの意味合いが自分の中で大きかった。そもそもは民主党政権がおかしいと思って声をあげて、何か変えられないかと思っていた自分だったわけですが、民主党政権よりもより悪いものが誕生すると考えたときに、これまで出したことのないカードを出すしかないと思ったんです。それが政治に挑戦するというカードですね。

　出発点は原発事故だった。その事故のときの政府の対応、マスコミの流す情報というものに疑問がたくさん生まれたんです。究極は、官房長官だった枝野（幸男）さんの「直ちに影響はない」という言葉でしたね。それが目が覚めるきっかけになった。「直ちに影響はない」ってどういうことですか？　ってことです。本当はなにかしら影響が考えられるのなら「こういったことは避けなさい」とか「気をつけなきゃいけない」という注意喚起をしなきゃいけないのに、「直ちに影響はない」と堂々と宣言された。これって、「いますぐ影響はないけど後のちのことは分からない」と宣言しているに等しかったわけですよ。えー、そんなこと言うんかいと思いましたね。放射線による晩発性障害、長期の低線量被曝――生活していく上で薄く被曝し続けて、いつかそれが疾病として出てくる可能性があるということを否定していない発言でしたよね。

——脱原発のデモに行ったのはその官房長官の発言がきっかけだったんですか？

山本　キッカケの一つだと思います。私は16歳のときから表現の仕事をしていて、「表現の自由はある」という前提のもとに生きてきた。そのことに対してはなんの疑問も持っていなかったんです。でも、声を上げてみてわかったことは、実際には自由に表現はできないんだということでした。本当は縛られていたんだと気づいたんですね。なぜ自由に表現できないかといえば、エンターテインメントの世界にはスポンサーというものがつきものだということです。そのスポンサーの縛りから逃れられない。商業主義に則って仕事をやっている以上、スポンサーである企業にマイナスになるようなこと、批判に繋がるようなことに乗っかる者は淘汰される以外ないわけです。

——その縛りを乗り越えるときの葛藤はどんなものでしたか？

山本　仕事を愛していました。でなければ20年続けられなかったと思います。で、20年が過ぎた頃にあの事故があって、まず起こったことは、私は自分の気持ちをはっきり言えないという苦しみだったんです。原子力発電、つまり電力ということを考えたら、当然これには多くの企業が関連しているわけですから、これについてなにか言ったら絶対ハレーション起こるよなということです。芸能界にいていちばん効率よく稼ごうと思ったら、企業の顔になること、つまりコマーシャルの仕事をもらうことです。当時の私レベルで一本、年間契約が決まれば2千万円くらい。コマーシャルがあれば仕事を落ち着いて選べる。日銭を稼ぐことに焦って意に沿わない仕事や消費されるだけの仕事に手を出さなくてよくなるということなんです。コマーシャルで財源が担保されれば、台本やメンバーも自分がやりたい仕事を余裕をもって選べるし、待てる。それを保守しようとしたんです。そのためには、自分はあまり「色」がついていないとアピールしたい。でも政治的な発言をすればそういう「色」がつくわけだから、言いたくてもいえないという状況ですね。

本当は、原発なんかいらない、原発なんかやめろと言いたい。国土が穢され人々の生業が奪われる、こんな大事になる発電はやめようじゃないかということを、一市民として言いたかったんだけど言えないという時期がありました。もう悶えてましたね。穴を掘って「王様の耳はロバの耳」と言うしかないような苦しさがあった。その葛藤があまりにも分かりやすい出来事があった。当時、友達が家に泊まりに来たんですよ。で、朝起きると、僕が大声で寝言を言ってたと言う。「なんて言ってたの?」と聞くと、「メルトダウーン!」と言ってたって（笑）。これにはさすがに来てるな、ずいぶん来てるなあと思いましたね。追い詰められているような心境でいました。

法的にはもちろん表現の自由は認められている。まして自分は表現者だし、納税者だし、この国の主権者であるわけだから、当然思ったこと言っていいだろうと考えていたんですけど、リアルにしがらみを突きつけられたということですね。

――そういうしがらみを振り切って最終的に一線を越えたのは、命の問題だったからということですか?

山本 そうですね。いまから考えると、すごく嫌な考えなんですけど、「自分は普通とは違うよね」という思いを少しは持っていたんだと思うんです。ある意味、優生思想的な考えとも言える。16歳から働いて、同年代の人たちよりはずいぶん多く納税をしてきているんだから、もしも命に関わるような事態になったとき、「救命ボートに乗れる人は限られます」という状況

友達が家に泊まりに来たんですよ。朝起きると、僕が大声で寝言を言ってたと言う。「なんて言ってたの?」と聞くと、「メルトダウーン!」と言ってたって（笑）。これにはさすがに来てるな、ずいぶん来てるなあと思いましたね。

になったときには、自分には優先権あるよなとうっすら思っていたんです。でも枝野さんの一言で「あ、全員切り捨てるのか」ということが自分の中で明らかになったんですね。「自分は特別な存在だ」なんて考えること、むかしから僕は常に戒めたいと考え続けていたんですけど、やっぱりギリギリの場面で、自分の中の根底にある嫌な部分に気づいてしまった。でも、政治が全員切り捨てる気なんだったら、「全員切り捨てない世の中」にするしかないじゃないかという思いが湧き上がった瞬間でもありました。

――デモでお見かけする山本さんは、まるでずっと前からデモをやっていた人のようにみんなを引っ張っていました。俳優や芸能人というより、当時から党首、リーダーだったと、いまさらですが思います。

山本　どうだったんですかね。でも昔から、撮影なんかでは現場を仕切りがちだったんですよね（笑）。映画は監督のものですが、バラエティのロケなんかに行ったりすると、スケジュールがスムーズに進行するように仕切って、1週間の予定なら最後の1日は休みにできるように、撮影中のリアクションや全体の撮れ高を増やす動きをするとかね（笑）。スタッフとしてはやりづらかったでしょうね。まあ、迷惑なやつでしたよ（笑）。

デモのときにどういう振る舞いをしていたかは自分では意識してはいなかったけど、なんかあったら国が守ってくれるんだろうと思っていたら、そうではないという答えが見えた。だから一市民として力を合わせて変えていけないかとやっていたんですが、やっぱり限界があるなと思いはじめたんです。原発が爆発してから一年半くらいの間に全国を回って、あまりにも悲惨な状況が世の中に溢れているんだと初めて知った。それを市民運動という枠の中で物事を変えてゆくのは無理で、そこから議会に入っていく人間を生み出しながら、連携していくという

渋谷駅西口歩道橋
架替工事を行っています
工事中

やり方でなければ無理だろうと、最終的にはそういうふうに考え方を変えたんですね。

――原発事故が起こる前は、投票には行っていたんですか?

山本　行ったり行かなかったりですね。投票するときのスタンスとしては、やっぱり野党側を応援はしていましたが、それって「力のない方を応援したい」というざっくりした気持ちからでしたね。自分の頭の中でちゃんと考えて、これまで行われてきた小泉政権だったり、自民党政権の新自由主義政策がなにをもたらしているのか、などまでには考えはいたってなかったですね。あと、国会の監視役やうるさ型とされている人たちに投票しようと。詳しいことは分からなくても、なんにしても国会に監視機能を強めておくことは必要だろうというようなざっくりした考えですね。

全国をまわってみて

――そのような問題意識がやがて経済の問題に広がっていく。そのプロセスはどのようなものだったんですか?

山本　２０１６年くらいですね。原発事故での被曝ということを入り口に、世の中に興味を持って政治活動をはじめたわけですが、じゃあ原発を止めるといったときに、その自治体の経済はどうしますか？　ということでした。原発に支えられてきたそれまでのその自治体の経済に代わる別の施策を打たなければならない。あるいは原発を廃炉にするにもお金が必要なわけです。で、地方に行くようになって自分がやりたいと思うようになったこと、たとえば「住まいは権利！」というようなことにしても、お金がかかる。とにかくなにをやるにもお金がかかるということにぶち当たったわけです。

私は原発、被曝から市民運動に参加して、結局その後は極端に仕事がなくなり、薄く残った仕事の合間を全国の人に呼んでもらったんですね。喋りにおいで、おかず代くらいあげるというので。いろんなところに行きました。

入り口は原発被曝で、それ以外のことはなにも知らなかったんです。なにしろ芸能界に20年いたので世間知らずなんです。この国に貧困の問題があるとか、労働の問題があるということを、社会問題に関わっている当事者の方、あるいは支援の弁護士の方だったりとか、いろんな方が教えてくださった。そこで自分の根本的な考え方が変わっていくんですね。ああ、この国はいまこんな地獄みたいな世の中なんだということも見えてくる。自分的にはそれまでは安定した生活をしていましたから、世の中がどうなっているかということには目が向かなかった。自分の仕事や遊びに精一杯でしたから。

で、いろいろ知るに及んで、考えると結局、この「地獄みたいな世の中」を作ったのは無関心だった自分だよな、というところに行き着いたんです。原発に対してなにも言わなかった自分もいるし、貧困にしても、誰かが困っているときになにかやろう、アクションを起こそうということもしなかった。誰かの労働環境が壊れていくときに声をあげたこともなかった。つまりそれらを黙認していたということなんじゃないかと思いいたったんです。

そこからは、一般的な仕事をされている方とは違ったかもしれないですが、豪快に仕事を切られるということもありましたね。もしも〝向こう側〟がもっと狡猾に、仕事を切らずに、それどころか新たに仕事をあげる代わりに黙らせるというようなやり方なら、私も騙されていたかもしれない。でもあまりにも豪快に、どんどん仕事を切ってくれるわけだから、逆に開き直れた。腹をくくれましたよ。これまでの自分の生き方を変えることから世の中を変える、という覚悟はできた。

一方で、「地獄みたいな世の中」を変えるためには、お金がいる。じゃあどうすればいいかを考える。お金を作るにはどうすればいいかと言えば、普通に考えられることといえば、あるところから取ることしかない、あるところから取ってきてないところに回すという考え方以外は、自分の中にはなかったわけですよ。で、これは自分の中でもウィークポイントだという思いがあった。そのたった一つの方法だけでは自分のやりたいことを実現するのは難しいかもしれない。少なくともやりたいことのすべてはできないだろうと思ってはいたんです。でもそれしかないから、それを言うしかない。そういうことを考えつつ、どこかで経済の勉強ができるタイミングがあればいいのにとふんわり思っているところに、松尾匡先生の出された本を知って、読んでみたら「あ、財源はあるやん」と分かったんですね。

――その話は後で聞かせていただきますが、去年の結党、そして大きく盛り上がった選挙運動をしたことで、政治の世界でもう一つ曲がり角を曲がったように思いますが、新たな交流や全国を回って得たもの、感じたことはありますか?

山本　新たに、ではないですね。補強されていますね。やはり人々が苦しんでいる根元には、経済的不安定というものが大きく占めていることを再確認していますね。

東京にいると、地方の方がお金がかからなくて暮らしやすそうというイメージもありますが、実際に見えたものはまったく違うものでしたね。当然、家賃は都会より低いんだろうけれど、生活費はそう変わらない、けど地方は収入が低い。たとえば全国チェーンのコンビニで買う水の値段は宮崎と東京では同じです。でも収入は圧倒的に地方の方が低い。そもそも、現在の日本は元々あった地方の経済圏がどんどん壊されていっている状態です。地方都市にある地元商店街とか地元の店などがフランチャイズチェーンに置き換わっている。同じ全国チェーン店で食べるラーメンの値段は東京でも青森でも同じですよね？　でも収入は圧倒的に地方の方が低い。さらに地方では車は必ず必要で、その維持費もかかる。経済的な意味で、地方が都会より暮らしやすいとはとても言えない。地方の方がより苦しい。にもかかわらず、結局、都会を儲けさせるために地方を踏み台にしているというところも大きいでしょう。消費税もそうですが、ＴＰＰだって、日米ＦＴＡにしても、自由化が極限まで行けば、それまでその産業を営んでいた方々の首を絞めることにしかならない。より安い食材、より安い資材が海外から入ってきたとしたら、国内でそれと競争するのは非常に厳しい。残れるとしても大手だけになるでしょう。地方都市の困窮を放置、加速させて、日本の未来がありますか？　って当たり前の話なんですけど。

――山本さんの街頭集会にはどういう方が来ていますか？

山本　それぞれの地域で異なりますが幅広いです。北海道では「車で4時間かけてきた」という方もいらっしゃいました。その方は高齢の方ですが、パートナーの介護をしている。老老介護ということですね。それでその方は仕事を辞めなきゃならない状態になった。なぜなら奥さんの要介護度が上がらない。本来ならもう一つ二つ上がってもいいんじゃないかというような

生活が貧しく暮らしはめちゃくちゃでギリギリで、もうどうにも立ち行かない。それに対して、あなたが頑張らなかったからでしょという考え方。これって、統治する側にとっては魔法の言葉というか、めちゃめちゃパワーワードですよ。

状況にもかかわらず、それぞれの自治体で、その介護度の人数のマックスがたぶんあると思うんです。財政的なものがある。その人の介護度を一つあげるということは、その自治体の首がまた少し絞まるということなんですよね。

いちばん思ったのは、地方自治体はお金を自分で発行できないわけです。つまり国からの交付金というものを柱にしながらやっていくしかない。これが削減されたり、紐付きにされたりする中でもやっていくしかない。国がケチればそこで生きる人たちの首も締まる。地方政府はある中からやり繰りする以外ないですから。仕事をしながら介護をしてもらうことでなんとかバランスを保っていたものが、事実上、介護度が上がるような状態になったときに、これはもう行政だけのサービスではやって行かれなくなる。それで家族が仕事を辞めなければならなくなる。仕事を辞めて面倒をみる、そうなるとその世帯はより貧困化するということですね。そのような話を4時間かけて言いに来てくれました。国が責任を持って積極的にお金を出していかなければ、人々の暮らしは崩壊すると改めて考えさせられました。

――東京で実際に見たれいわ新選組の集会には、他党と比べ、比較的若い人が足を止めたり、集まっているように見受けましたが、全国ではどうですか？

山本　それは特にないです。開催する時間によってはバラツキもありますね。いろんな年代の方がいます。

――どの話に最も関心が強いですか？

山本　やはり消費税ですね。消費税がないとしても地方の暮らしは厳しいわけですが、消費税に苦しんでいる、なくしてくれたら助かるという人たちが結構いますね。順番でいうと消費税。

次は同じくらいの関心で政府の補償で最低賃金を１５００円にするという話です。そこはやはり地方の方が厳しい環境に置かれているので。

最低賃金１５００円、消費税廃止、法人税の累進化はセット

――　時給１５００円になるということは、地方によっては現在の倍近くなるケースもあるんですよね。

山本　そうです。北海道の根室に行ったとき、根室で普通に就職するといくらくらいもらえるんですか？　と聞いたら、数日前にハローワークに行ってきたという人が来ていて、そこに出ていた仕事は12万円だったと。額面で12万ってことは手取りだといくらでしょうか。子育てや家族を養う、将来の病気に備えるとか考えるとかなりきびしい状態ですよね。

根室という町は、昔は魚がすごく獲れて「太平洋銀行」と言われていたそうです。当時、漁師さんたちは札幌に遊びに行くと「お金持ちが来た」と歓迎されたとか。根室で入った散髪屋のおっちゃんに聞いたら、魚がたくさん取れた時代はそんなこともあったが、いまはまったくダメだ。いまやもう札幌に飲みに行くこともない。そんな町で、ハローワークでいちばん高い求人が12万。ということは、全国一律政府補償で１５００円という最低賃金となれば、根室の場合はだいたい倍になりますよ。時給１５００円は月給では24万くらいですから。現状のように、都市に行けば行くほど時給が高くなるということなら、地元で12万の仕事ではなく、もう少し高い仕事をと都会に探しに行く方がいいとなるのは当然で、同時に地方の町が過疎化するのも当然ということになるわけです。

だから、いまやらなければならないのは、大都市への人口集中を是正していくことです。これをやらなければ日本に先はない。そのための政策の一つが政府補償の最低賃金１５００円。その人たちは倍になった給料をどうするか。もちろん貯める人もいるでしょうが、必要だったものを手に入れたいということにもなる。食べたかったものを食べる。必要なのに買えなかったものを買う。そうやって消費を喚起していくことができるということですね。全国どこで働いても同じ最低賃金がもらえるというのなら、わざわざ家賃が高い都会に行くという選択は狭まっていく。地元に戻ろうとか、そのまま地元にいようというチョイスも出てくる。

―― この最低賃金を、国が補償するということですね？

山本　そうです。いきなり最低賃金を上げますということになれば中小零細は潰れちゃう、立ち行かない。だから政府補償にするということです。これは１５００円の最低賃金として独立した政策じゃなくて、消費税の廃止と、法人税の累進化がセットになっているんです。消費税を廃止したら、これまですごく重荷だった消費税納税がなくなれば中小零細、個人事業主でさえも、これまで払っていた賃金に少し上乗せできませんかという話なんです。上乗せしても１５００円に届かない分を国が補填しましょうということなんです。

　それから法人税の累進化。儲かっていれば儲かっているほど税金が高くなる、儲かっていない企業の法人税は減らすという措置で、事実上、中小零細には減税になります。ということは、消費税がなくなり、法人税の負担が少なくなるとすれば中小零細にも、いま払っているよりもう少し上乗せして払えるんじゃないかと。それでも足りない分を国から出しましょうという考え方なんです。最低賃金１５００円のみ単独で考えるのではなく、他の施策とセットで実現す

私自身もいつか障害を負うかもしれない。自分もいつかホームレス状態になるかもしれない。出発点はそこ。自分自身に自信がないんです。自信がないから、支えてくれる世の中が必要だと思うんです。

る内容です。

――その消費税減税がれいわ新選組の最大の提案ですが、朝日新聞の昨年の調査では、思ったほど人びとの消費税への抵抗感は強くない。約半分の人が増税にも納得できる。それはどうお考えですか？

山本　まず問題は二つある。一つ目は、30年以上、すでにこの国の人たちは消費税を払い続けているということ。もう慣れっこなんですね。消費税は取られて当然という考えが染み込んでいて、廃止になどできるはずがないと思いこまされている。もう一つは、消費税を導入しなければ、そして上げていかなければ、この国の社会保障は維持できないという洗脳です。事実とは異なる二つの洗脳セットを頭の中に抱えて、消費税は必要だよねと信じる人が多いのだと思う。消費税がない社会なんてことは想像もできない。それを実現するのは、あなた、主権者自身なのに。

――消費税が下がれば個人個人には助かる人も多いと思います。でも日本全体を見ると、労働人口が減っていくという不安もあると思う。労働人口が減れば所得税を払える人が減り、消費税でなければ誰が払うんだと。

山本　世の中にある税は消費税だけではありませんよね？　誰が払うかというと、「持っているもの」が払うんです。それが税金の基本なんで。

　でも消費税というのは持っていないものからも搾り取ろうという税金ですよ。この20年以上のデフレで、賃金が下がり、ものを買わなくなる、というスパイラルから20年以上抜けられないでいる。にもかかわらず、デフレが本格化した90年代後半以降、この20年の間に、何度消費税を上げたのかってことです。97年、14年、そして19年と3回上げている。消費に対する〝罰金〟を3度上げて、この国の景気を大きく3回冷え込ませている。それでデフレのままですって。そんなの当たり前ですよね。日本のデフレという病に対しての処方箋が間違っていた。

――安倍政権は14年に8％に上げた後、15年と17年に消費増税を延期しましたが、デフレは終わりませんでした。

山本　14年に行われた8％への増税のインパクトが大きかった、ともいえるのではないですか？　一方でラッキーなことに、消費増税が2度延期されていたあいだ、輸出は好調になっていました。前回の消費税増税の時期には世界経済の落ち込みはそんなにひどくなかったということもありますが、逆に言えば世界経済が好況だったことに救われていたとも言えます。14年の値上げは97年となにが違ったかと言えば、97年に5％に上がったときには、世界は通貨危機に見舞われていたから、消費増税で減速する分を外需に頼れなかった。２０１４年は世界経済が好況だったので、輸出で助けられ、そこまで大きな落ち込みが見えなかったんです。先送りしたことは、私は良かったと思いますよ。でも、消費税を上げたからといって、日本国の税収が上向いたわけではなかった。それはなぜかといえば、所得税や法人税を減税してきたからですね。消費税をあげるかわりに他のものを下げる。下げたものを補塡する役割を持たされたのが消費税だったわけです。

だから、財政を健全化させるとか、社会保障をどうにかするとかっていう意味合いで消費税を上げたわけですが、それ以外に対して、つじつまが合わないことをやっている。つまり、消費税をあげることで、自分たちのお得意様、法人とかお金持ちに減税する穴埋めにしかなっていない。

――消費税があること、それが上がっても仕方ないということに、国民は慣れてしまっている。中学校からそう教えているので、20代の若者はそういう環境で育ってきたといえます。この状況で、山本さんの消費税に関する訴えは有権者や野党政治家に届いていると手応えを感じていますか？

山本　有権者といっても、私たちの話をキャッチしてくださっている方はごく一部だと思います。私たちはテレビにも出ていませんし。まして、キャッチした上で、昨年投票してくれた200万人以上に広がっているかといえば、そこまで広がってはいないと思います。広げるためにはメディアに乗るか、草の根で広がっていく以外には方法がないですね。メディアにのれるかどうか、私たちに決定権はありませんが、草の根なら、一人ひとりがこの瞬間から始められます。コツコツやる以外ない。

どうせやられっぱなしで終わるなら

――アメリカ大統領選では、民主党の候補者選びでバーニー・サンダースへの支持が相当大きくなっています。これまでも世界的な反緊縮ポピュリズム・ムーヴメントとしてスペインのポデモスやイタリアの五つ星などがあり、イギリス労働党のコービンのような人たちへの支持が広がってきていました。そうした世界的ムーヴメントに関してはどう捉えていますか？

山本　もちろんそういう海外の状況があることは知っていますが、私自身が英語を読めて、海外の情報を詳細に当たれるわけではないので、詳しく知っているわけではありません。でも世界的に同じような状況にあるのはなにかと考えるなら、一握りの人間たちによって搾取され続ける状況に、人びとが声を上げているということではないかと思っています。日本においても、「おかしいじゃないか」「もっと金出せ」ということを言ってもいいんだという空気はちょっとずつ生まれていると思うんです。

―― 日本では自己責任論というか、お前が貧乏なのはお前の責任だというプレッシャーになっていて、政府に対して「金を出せ」ということをなかなか言えない空気があるように感じます。

山本　新自由主義経済の影響でみんなが貧乏になってきた。この20年で平均年収が百万円くらい下がっている。もう声を上げなきゃ生きていけないくらいになっているんじゃないですか。

たしかに政治に対してものを申すということに関して日本は、もともとハードルが高い国なんだろうと思います。お上と庶民の関係というか、払っているのは税金ではなく年貢って感覚なんですね。だからお上が決めたなら従う以外ない、みたいな。日本は民主主義ってスタイルで一応やっておりましてあなたの声が形になるシステムなんです。加えて、なにかあったとき、困ったときにはみんなで支え合う社会なんだよという根本的なことが共有されていないということかもしれないですね。「自己責任」という言葉は、緊縮政策が積み重なっていく中で出てきた言葉だと思うんです。小泉政権時代くらいからじゃないですか。こんな寛容でない社会的な空気が蔓延してきたのは、みんなが貧しくなってきてからですよね。だって景気のいいときにそういうことを言う人はいたんですか？　ってことですよ。景気が良ければ自己責任みたいな話にならない。自分の人生がうまくいってない、生きることすら苦しいと、多くの人びとが苦しんでいるのを、「全部政治のせいにできるなら簡単ですね」みたいな皮肉を言われることがあるんです。でもそれは違いますよ。多くの人びとが生活困窮に陥る状況を作ってきたのは

安倍政治を許さない、と言ってたのが岸田政治に変わったとき、「安倍政治を許さない」で通用するんですか？　ということです。ある意味で「終わった話」になりかねない。でも「終わっていないんですよ、続いているんです」ということがわからないと。

政治の責任なのだから、その政治を変えようということになるのは当然だと思う。生活が貧しく暮らしはめちゃくちゃでギリギリで、もうどうにも立ち行かない。それに対して、あなたが頑張らなかったからでしょ、あなたが至らなかったからでしょという言い方、考え方。これって、統治する側にとっては魔法の言葉というか、めちゃめちゃパワーワードですよ。「自己責任論」が、政治に関わる者や統治する側が断罪されることが一切ないということを担保してしまう。こういったコントロールの仕方というのは緻密というか、考え抜かれていると思います。

いま、れいわ新選組で街宣をして、質問ありますかと言うと、どんどん手が上がる状況が生まれているんですが、やはりいまこのまま生きていったとしたら、将来は悲惨なことしかイメージできない。さらには生きている意味さえわからないとか、早く人生を終えたいとまで思ってしまうような中で、「やってやろうぜ」という私たちの提案に、一縷の望みをかける人もいると思うんです。もう諦めるしかないとなっていた人たちの中にも、「いいんだよ、変えていけば」「みんなで変えていこうぜ」という流れに、自分も乗りたいと思う人が出てきている。どうせやられっぱなしで終わるなら、最後に反撃してやりたいと思う人たちもいると思うんです。いろいろな地方に行って感じることですね。

――街宣の話になったところで次の選挙のことも伺います。れいわ新選組は地方組織を作らないということですが、これはどういうことなんですか?

山本　そうです。理由は二つあります。一つは地方組織まで作るとなると資金が潤沢じゃないととてもじゃないけどできないんです。で、いま、私たちが党として雇用している職員の人件費、事務所などの諸経費、日々の活動費などを一年で考えれば軽く一億円を超えます。基本的機能を維持するだけでもそれくらいかかるわけですから、全国組織として人を雇用しながらやっていこうと思ったら、とてもじゃないけど無理ですね。ですから、いまそれを作るわけにはいかないということです。政権を取る、という現実の自分たちの規模感に合わない活動を早急に進めるとなると、この国に生きる人々のお力をフルにお借りするしかありません。そういった経済的な理由が一つですが、もう一つ、組織化したらたぶんその組織の人間、支部長、などの権力性が生まれるでしょう。そういう形になるのが嫌だというのもあります。現在の形はどういうものかというと、「全員社長でいいやん」ということです。全員社長で、それぞれ勝手にやりますという人たちが大量に出てくることの方が、権力側としては怖いと思う。組織化されたグループなんて権力側、コントロールする側にとっては怖くない、ということです。よく分からない有象無象が雨後の筍のように出てくるという方が怖い。いまの状況を考えると、私はそのようなやり方がいいんじゃないかと考えているんです。れいわ新選組は組織化されていなくてガバナンスが効いてないみたいなことを言われるんですけど、当たり前です。去年の春に旗揚げして、夏にやっと政党になった人たちに、自民党とか昔の民主党のような組織を求めるって「大丈夫ですか？　みなさん」って感じですね。生まれたてですよ、私たちは。「れいわ新選組には山本太郎しかいない」みたいなことも言われる。そりゃそうでしょうってことですよ。ちゃんと組織化して、全国で支えたいんだという人の気持ちも分かりますが、まだ私たちが組織として未熟だということを叩きたい人たちと一致する部分があって、そういう批判になっているんでしょう。どれも妄想軍師の域を出ていない。でもこの先、少しでも議員を増やしながらどんな形にも変われるんだという組織になっていけたらいいと思っています。

――では地方選挙はどうしますか？

山本　いまのところは、地方議員をれいわ新選組の看板を背負って立てることは考えていないんです。地方にもう一つしがらみを作ることになってしまうので。だとするなら、そういうものより、無所属の人を応援して、自由に動いてもらう。それぞれの縛りを受けて自由に身動きできないというのは健全じゃないから。なので、無所属の人を応援はするけど、看板は背負わせない。それぞれの地方議会で必要なことを頑張ってもらうということをやっていくほうが広がりはあるのではないかと。いずれはそういった方々が地方政党を立ち上げていき、国政のれいわと連携していただけたら、と考えています。

――松尾匡さんが呼びかけた反緊縮候補を推薦する薔薇マークキャンペーンとの関係はどういうふうになっているのですか？

山本　薔薇マークが推薦した候補者の中に私もいるという関係です。市民連合と立憲民主党のようなものよりも、もっと緩やかなものだと思います。薔薇マークとしては、れいわ新選組に限らず、反緊縮を政策とする候補を紹介、推薦してくださっていると思います。

権利じゃ全然ピンとこない

――確かに日本では社会運動、政治運動が起こりにくい。去年フランスの「黄色いベスト」の本を作ったのですが、どんな運動だったかというと、パリでの暴動の部分ばかり報道されましたが、実は週末になると、各地方の町のロータリーに、人びとが話をするために集まってくるというものだったんですね。

山本　え！　それはまさしくれいわ的じゃないですか！

　ただ、日本では時間がかかるところがあるかもしれないですね。おおっぴらに政治を語ることがタブー視されているばかりでなく、さっき言ったお上と庶民の関係のようなものが強いので。この国でいちばんの権力者は誰か？　というとき、当たり前のように「私たちです」とみんなが答えられるようにならなければ、そういう状態にはならないと思うんです。いまは、「この国でいちばん力を持っているのは、主権者である私です」とさえも思えないというか……。だって政治自体が完全に人びとから自信を奪い去っているじゃないですか。経済困窮のなか、消えてしまいたいと思いながら生きている人がたくさんいる。そういうところで、自分が世の中を変えられる一員だと思うのは難しいことだと思うんです。生きるのに精一杯で、政治のことなど考える時間も気力もないという人びとがたくさんいる。

　つまり、変えていかなきゃならないことを考えると、すごくハードルが上がっちゃってる。逆に言えば、私は、統治者たちが人びとから、そういう意識を奪うためにこれだけの長時間労働とか、格差を作ることさえもやってきているんじゃないかとさえ思います。私が世の中を悪くコントロールしようとする側ならそういうこと、考えるだろうと思うんです。うがったものの見方と言われるかもしれませんが、権力とは、それくらい用意周到な奴らというふうに思いますね。

　それでいま、なにをするかと考えると、人びとに「政治に興味を持ってくれ」と説得することも重要だけど、それじゃ言葉は届かないと思う。政治としてできることは、有権者の皆さんに自分の権利に気づいてもらうためには、まず生活を底上げするということを大前提に施策を

政府の借金イコール民間の借金みたいな考え方があまりにも強く広がっている。これは事実と反する部分で、本当は政府の借金イコール民間の貯蓄、政府が借金をしてお金を生み出し、それを財政出動して、世の中にお金を回していくんだという当たり前の関係を広めたい。

打っていく。そういうことをやっていきながら、人間らしさを取り戻してもらう。これをまずやらなければ、この国は取り戻せないだろうと思っています。

　だから、権利ということをアピールしていってもいいけど、それじゃ全然ピンとこない。そうじゃなくて、あなたの生活、少し楽になるよ、野党側が政権とったら消費税が５％になるんです、みたいな話じゃないと、まず入り口として難しいと思っているんです。とにかくもう一度みんなに、政治に参加してもらうために、まず底上げが必要だということに行き着く。まず権力を取り戻した上で、人びとのための政策を徹底して行い、積極的に政治参加していただく基礎を作る。

――れいわ新選組の政策は、山本さんの同世代であるいわゆるロスジェネの現状を意識したものになっていますね。奨学金返済をちゃらにするというのは、バーニー・サンダースの政策にも掲げられていますが、高卒で働いている人やきちんと返した人もいるなか、不公正ではないかという声もあります。

山本　学びたいという考えを持った人たち、思いを持った人たちが、借金を背負えばいいということでやってきた。それが現状の奨学金です。大学生の4人に1人、そのうち6割から7割は有利子ですね。借金を背負った上に利息も払えということにしてしまったんです。この利息で年間３５０億円くらいおいしい思いをしているのが金融機関だろってことです。

　本来、教育は先行投資じゃないですか、しっかりと学問を深めていただいて、社会に出て、納税も含めていろんな形でまた社会に返してくださいねという。それなのにそれを商売道具にしてしまったということですね。権力を持つ人びとが、自分たちの仲間に対してキックバックするためのシステムを作ったと言ってもいい。奨学金という借金を背負わされている人びとは、

国のこういう誤った政策によって生まれた被害者だから、これは救済しなきゃいけないという考え方です。５５５万人に9兆円でできる。これは安い買い物ですよ。だって、それによって人生大きく軌道修正できる。もともと描いていたものと違う方向に行っている人たちが大勢いるわけですよね。借金背負っているというだけで結婚しないという選択にもなるわけでしょ。別に結婚はしなくてもいいんですよ。でも結婚したくても借金が足を引っ張ってためらってしまっている人もいる。そうやって、少子化を加速するようなことを国自身がやっている。国難だと言われているなかで。それを考えると、やることの優先順位として、９兆円でできるのなら、すごく意味のある使い方だと思いますね。奨学金は自分とは関係ない、そんな施策は不平等だ、という人に関しては、大きな社会問題を解決することは日本の未来のためにも必要な部分なので、許して欲しい、きっとあなたにも忖度するから、底上げするからと伝えたいです。

――教育問題についてはどうですか？　先ほどでた自己責任論や権利意識の弱さについて、生活が少し楽になることで、権利意識などは自然に育っていくと思いますか？

山本　もちろん、教育の質、内容に関しては別の話ですね。いま、多くの人が生活困窮状態にある、生活困窮に足を踏み入れそうになっているという状況を救うという問題とは別なんですけど、つながっている部分もある。

権利という部分に関しては教育で、早くから意識的な状態にしていく必要はあります。要するに「あなたは大切な存在である」ということを早くから一人ひとりが理解できる教育が必要だと思うんです。で、あなたが大切な存在であるように、他の人も大切な存在であると。あなた自身がみんなに認められることを願うのであれば、あなた自身も他の人を認めなければならないという当たり前の関係性を根本に持って来る必要があるだろうと。それを小さいときから教える必要があります。それだけでなく、世の中にはいろんな人がいて、世の中が成り立っている。これはインクルーシブの話もそうですが、障害者をはじめ、いろんな人がいて世の中が成り立っている。と、小さい頃から感じ、体験できる生活が必要ですね。もう少し歳を重ねると、社会に出ればあなたをいいように使おうとする人たちもいるよ、という教育も必要です。それは何かと言えば、ブラック企業だったりですね。早いうちからブラックバイトみたいなことに足を踏み入れる子たちもいるわけだから、そういった状況からあなたを守るために、ということで、そういう状況になった場合はこういうルールがあるよというような、例えば労働の法令も教えるような教育が中学生くらいで必要ですね。権利の問題、基本的人権ですね。社会に出て、どう自分を守れるのか？　という教育も必要です。いまは泳ぎ方を知らないのにいきなり沖まで泳いで帰ってこい、みたいな感じですからね。

――いまのお話にも感じますが、人権について、山本さんは徹底してこだわってきていますね。人権をそれだけ強調する理由、動機を聞かせてください。

山本　「誰かに寄り添って」ということですね、出発点は。自分自身がそうなったときに、どういう世の中であって欲しいかということだと思います。私自身もいつか障害を負うかもしれない。自分もいつかホームレス状態になるかもしれない。出発点はそこ。自分自身に自信がないんです。自信がないから、支えてくれる世の中が必要だと思うんです。

――そうなんですか！　自信がないなんて思うようになったのはいつ頃からですか？

山本　原発が爆発してからですね。だから、全員を救う世の中じゃなきゃまずいという考え方になった。いちばんは自分のためなんです。ひいてはみんなのためにもなるよねと。

まず国内のテコ入れを

——山本さんのスピーチの底にはいつもその問題があり、柱になっていると感じます。が、移民の問題となると、違う考え方のように思えます。すでに人口が減りはじめている日本社会では、外国人が労働者、労働力、人材としてではなく、家族と一緒に、あるいは日本で家族を作って暮らしてもらうことができればいいんじゃないかと思っているのですが、山本さんは移民については消極的ですね？

山本　少子化については、要はこの20年以上のデフレは国がしっかりした投資をしてこなかったことが原因だと思ってます。ＩＭＦの資料を見ても、１９９７年からの20年間の政府の総支出、つまり政府がどれだけ金を出したかということの伸び率を１４０ヶ国で比較すると、日本は最下位なんです。要は人に最も投資をしないドケチ国家ってことですね。で、投資をしない国がどれだけ伸びますか？　ということでリターンを見る。名目ＧＤＰの伸び率を同じ20年間で見た場合、これも日本は最下位なんです。それはそうです。いちばん投資をしない国がいちばんリターンが少ない国になっているのは当然のことです。こういう状況があるから、ここまで国が衰退したんだろうと。ここで言っている投資というのは公共事業も含みます。とかく公共事業は悪者にされますが、そうではない。国の成長としていちばん数字にあらわれやすいのは公共事業です。雇用であったり、様々な企業にお金が回るということですから。その予算が半減しているんです。それ以外の分野も絞られまくっている。

具体的な政策への批判より、ふわっとした批判がほとんどなので気にしていません。ヒトラーと同じ演説やとか。イメージでの批判も一定の力を持つわけですから、そのような批判は今後も続くでしょうが。

そのようにして、この20年以上のデフレでみんなが貧乏になっている時代に、日本の力が弱まっているから安い労働力を外国から移民として呼んで、その人たちにこの国を回していくことの手助けをしていただこうというのは処方箋としては違うと思っています。まず、この20年のドケチ政策を変えなきゃいけない。公共事業も教育も、それ以外の分野にもお金を出していく、底上げをしていく。で、底上げすることによって、人びとに余裕ができれば、家族を持ちたいと思う人は家族を持つだろうと思うわけです。これ以上子供が増えないということを、外国人に手伝ってもらうことも、応急処置的には考えとしてありうるけれども、そうではなくて、20年のドケチ政策で人びとが疲弊してきたことに対して手当が必要だということを出発点としなきゃいけない。その中で、もう一人子供が欲しいという人、まだ子供を産んだことがないけれども、シングルでも子育てに負荷がかからないということを国がしっかりと担保してくれるなら、そういうことで悩んでいる方々に関しても、国がお金を出すことで、一人ひとりの状況、ひいては社会の状況を変えていかなければいけないと思っています。

移民、これは難民とは違いますね。難民は祖国の事情で逃れてきている人びとなので、いつか自分の国の状況が変われば帰る可能性がある。そうした難民の受け入れに関しては、日本は他の先進国ほど受け入れるかどうかは分からないけれど、少なくとも現状を改善していく必要があると思っています。ただ移民という部分に関しては、国内事情がなに一つ改善されていないところに移民が入ってくることで奪い合いになる可能性がある。より低賃金の労働者、雇用の調整弁としての使われ方をする可能性が大いにある。いまの状況を見れば間違いなくそうなる。そうなったとしたら、誰が不幸になるかといえば、海外から来られる方や、もともとこの国で働いている方たち、そして移民の労働者が増えれば増えるほど、自国民の給与が上がりにくくなるということは、去年の夏に訪問したマレーシアの政府の方も言っていました。だから、まず国内のテコ入れをしっかりと大胆にやっていくことで、それでも足りない場合の議論としてはまったくしないのではないですが、その前にやることがある。少子化の問題は50年前からテーマとして設定されていたにもかかわらず、ロスジェネ世代に対して、緊縮、つまり蛇口を絞り、人生が不安定になるような状況を国が作ってきてしまった。

―― なぜそんなことになったんですか？

山本 うーん。国家戦略というような長期的な考え方ができなかったんじゃないですか。目の前の生産性向上とかってことで、コストカットをしてきた。そのときにカットできるものの一つとして雇用が使われた。非正規雇用の提案だったり。本当に目の前の利益のために、人びとをこんな状況に追いやってきたのではないか。状況的にはバブル崩壊以降、どんどん緊縮の方向に来たんでしょうね。そして橋本龍太郎政権で消費税が引き上げられた。

イデオロギー対決にはのらない

―― 東西冷戦終結後、資本主義経済にとって、社会主義というライバルがいなくなったことも、資本主義が野放図に暴れまわるようになった原因の一つではないかと私は思っているのですが、いま、アメリカでは大統領選の予備選で「社会主義者」のサンダースが票を伸ばしています。彼を支持するのは若者で、彼らは社会主義に抵抗を持っていません。そういう状況をどうご覧になっていますか？

山本　民主社会主義か社会民主主義かというようなことは私にはよくわからないですが、そういう話に行ってしまうと、イデオロギー対決のようになって、レッテル貼りで終わっちゃう可能性がある。なのでやはり私たちは、人びとの生活を引き上げて、この国の経済をもう一度軌道に乗せるという当たり前のことをしたい。イデオロギー対決には持って行かせないということです。

――そうした政策を進めるためにも選挙での野党共闘は欠かせないと思いますが、他の野党との関係が改善されないことについてどう考えていらっしゃるか教えてください。

山本　たとえば「どうして消費税にこだわるんだ」と言われるんですけれども、消費税はいちばんわかりやすいじゃないかというだけなんですよ、私から言わせたら。たぶん、なによりも通じないのは、おそらく3党合意をした当時の自分たちが間違っていたということを改めて示すことになる、ということを理由にした減税反対論。でも、それは仕方ないじゃないか、間違っていたんだから、ということなんですよ。いまの世の中の状況で、すでに8％でも厳しかったし、10％になったらもっと厳しいんだから、いま下げなきゃ、みんなボロボロになるよという当たり前の話なんです。これだけ経済が衰退しているなか、消費に対する罰金をやめなきゃ、もしくは減税しなきゃいけない。そうすれば消費に負荷がかかっていたものが取れるわけだから、経済的には盛り上がる。私は同意しませんが、彼らのロジックである財政健全化。それを考えても税収増やさなければお話にならないのでは？　というシンプルな話なんですが、それを決めた人たちからすれば、変えるのは抵抗があるのでしょうね。

――民進党時代の公約は、税金は消費税であっても取るけれど、分配の仕方を変えるんだということでしたよね。それでは間に合わないということですか？

山本　20年デフレが続いてきたということを、それはまったくシカトして話してませんか？　消費も投資も失われ続けているという前提のもとに、消費税を考えなきゃいけない。消費税ということだけを考えて、分配をどうしようという話じゃないんですね。現役世代の人口が減ってきていますから、消費からなら全員から取れますよね、というそこだけに注目しちゃダメだよ。日本経済に大きく影響を与え、人びとの生活を崩壊させていくということの原因として消費税を考えなきゃいけない。ということです。政治で重要なことは、間違っていたことは間違っていたと認めて、方針転換することなんですよね。

　だって、消費税はいま6割の人が納税できていないんです。滞納が6割。ということはすでに税制として壊れているやん、という話でもあります。恐ろしいことに、消費税というものは赤字でも払わなければなりません。そこは法人税と違う。中小零細、個人事業主、つまりこの国の企業の99・7％を占めていて、そこで雇用されている人たちは労働者の7割を占めている、そんな中小零細の方たちの首をいちばん絞めている消費税というものに対して、どうして減税するという判断をできないんですか。

――それでも野党でまとまりになるということについて、れいわ新選組があと一歩妥協すれば前に進めるということになれば？

山本　いや、れいわ新選組としてできる妥協はすでにしているんです。消費税５％のみですから。逆にいえば、その目玉なくしてなにをどうしたいんですか？　現有議席を減らさないだけ

の選挙なら、私たちはそこには与しません。政権交代につながっていくような戦いでなければ。だって、いま野党が塊になりました、ということになったとして、それにワクワクする人がどのくらいいるんですか？　はっきりいえば、コアな支持者以外はワクワクしないんじゃないですか。立民と国民が合体しますと言って、「元サヤじゃないかよ」と。そこに対して「民主党政権時代とは違う枠がもうできたんです」というようなものでやっていかないと、事故った車をリペアして、中古車としてまた売りつけられるみたいな。そうではなく、フルモデルチェンジなんです。そういう形じゃないとダメですよね、一度がっかりさせられていますから。

――おっしゃることは分かります。そのガッカリは何度も感じてきている。とてもよく分かる。でも焦りもある。妥協してもいいから少しずつでも実現してほしい。そのためにひとりでも増やしてほしいと。

山本　そうなんですね。でも私たち、旗揚げしたばかりですしね。そもそもどうして旗揚げしようとしたかといえば緊張感が欲しかったから。人びとにはしっかり投資しなければならない、反緊縮という政党を生み出すということを考え、これが次の選挙では消費税を争点にせずに、10％のままで、でもみんなで一緒になって悪しきものを変えていこうよ、ではなんのことか分からない。次の選挙で、安倍首相は任期いっぱいで辞めるということになるかもしれない。そのときに、安倍憎し、安倍政治を許さない、と言ってたのが岸田政治に変わったとき、「安倍政治を許さない」で通用するんですか？　ということです。ある意味で「終わった話」になりかねない。でも「終わっていないんですよ、続いているんです」ということがわからないと。

政府の借金は民間の借金ではない

――このままでは、野党が倒したんじゃなく勝手に交代していくわけですよね、安倍政権は。

山本　向こうの権力闘争で。というだけの話になっちゃいます。何も変わらない。

――野党にはいつまでになにができ得るでしょう。

山本　手続き上必要なのは、次の衆院選で多数派を取らなければいけないということですね。でもそれだけではダメだということです。参議院では数が少ない。参議院側のねじれを解消するような状態にしなければならない。とすると３年後まで参議院選挙はないんです。つまり少なくとも消費税５％にできるまでには最低３年かかる。衆議院だけひっくり返したとしても難しいですから。ただ８％に落とせる可能性はあります。いまも軽減税率をやっているわけだから、衆議院で多数派になって、ようは自民党側でさえも衆議院取られて参議院しか持っていないとなるとやりたいことができないから、バーターがはじまることになります。どっちも決められないままじっとしているのは嫌なわけですから、自民党でやりたいことがあったとしたら、「これこれをやりたいから、そっち側がやりたいこと」ということになるかもしれない。衆議院で野党が多数派になれば８まではすぐに落とせる可能性がある、本気でバーターをすれば。５％にできるのは、衆議院で勝って、参議院で勝ったときですね。

野党は塊になれるところは塊になればいいんですよ。塊になれない部分もある。共産党と民主党は一緒になれないけれど、一緒にやれる。うちもそれでもいいと思うんです。選挙協力をして与党と野党で1対1の構図にする。衆議院の小選挙区が２９０ヶ所あって、そこを考えたとき、与党対野党という対決に、すべての選挙区をしていく。民主党系の候補が自民党と激突、そのときにはその候補を他の野党も応援してます、旗印は消費税５％です、というのはどうです？　他の小選挙区では与党側と共産党との激突。そのときも消費税５％という旗で戦う。ということになれば、二分の一ですから。要は与党にするか野党にするかという選択ですから、多くの人が消費税５％になるんやったらという理由で、入れてくれるはずです。そういった仕掛けもないなら、どうやろう。野党、勝つんかなと思いますね。だからここまで、消費税５％ということを旗印に、1対1で戦えるようにできるなら、次の衆議院選挙でも、多数派を取れる可能性はあると私は思ってます。

――消費税減税の先にある財源についての話で、国債発行する話に関しては、消費税減税以上に抵抗は強いと思いますが、そのことについても教えてください。

山本　そうですね。財務省の洗脳が行き渡りすぎてますからね（笑）。要するに、政府の借金イコール民間の借金みたいな考え方があまりにも強く広がっている。これは事実と反する部分で、本当は政府の借金イコール民間の貯蓄、政府が借金をしてお金を生み出し、それを財政出動して、世の中にお金を回していくんだという当たり前の関係を広めたい。私も最初はびっくりしましたよ。政府の借金は民間の借金だと私も思っていましたから。逆に、それは良くないというスタンスで政治をやっていました。自分の人生と重ねちゃっているんですよね。無尽蔵に借金なんかできるはずはないよなと思う。自分のパイで生活するのが当たり前だという話と重ねている。でもあなたは80歳、90歳で天に召される可能性があるけど、国家は永久に続くという前提があるんです。その中で財政が考えられていればいいわけです。

―― サンダースの政策がニュースになっていたのですが、一体彼はどのくらいの支出額を政策として掲げているのかということで、ある専門家の試算では、10年間で７０００~８０００兆円なんです。はっきりと数字としては出していない部分も合わせての試算ですが。つまり1年で７００兆円。アメリカの経済規模は日本の2倍くらいなので、日本に置き換えると1年で３５０兆円。

山本　え、それはすごいなあ。素晴らしいな。

―― そのお金はどこから出すのか？　といったときに、間違いなく国債ということになるわけですが、アメリカや欧州ではもう大統領候補からもこういう政策の議論が起こっている。日本ではなかなかそういうことにはなっていませんが、ベーシックインカムの話もありますよね。ベーシックインカムの定義はいろいろありますが、税金から社会保障として1本化して一定額を分配するというものもあれば、国債をすって社会保障費を賄おうというものもある。山本さんはベーシックインカムについてどう考えていますか？

山本　ベーシックインカムと一言で言っても、いまおっしゃったようにいろいろある。小さな政府の考えるベーシックインカムと大きな政府の考えるものは違うと思うんですね。ベーシックインカムを考えるとき、いちばんやってはいけないことは、社会保障をそれで1本化するということだと思うんです。社会保障をそれで1本化ということになるとおそらく死んじゃう人がたくさん出てくると思います。高齢者や障害者、難病の方はそれでは生きていかれないですね。そういう意味でのベーシックインカムは避けたほうがいいと思いますが、将来的なことを考えると、ＡＩの発達で、人間でなければできない感情労働くらいしか残らないんじゃないかということになったときに、多くの人を国が食わさなきゃならない状況になりうる。そういう

希望はあなたなんだよ、ということです。生きている価値も感じられなくて、もう消えてしまいたいと思い込まされている、そのあなたが希望だということです。この人たちの力を集めたら世の中を動かせる。

ときにベーシックインカムの話は出てくると思うので、議論は進めるべきだと思います。ただ、いまはベーシックインカムではなく、給付金でもいいんじゃないかと考えています。同じことかもしれないんだけど、少なくともインフレの目標、いま日銀が言っているのは2%が上限ということですが、それに則るんなら、2%に届くまでは給付金を出してもいいんじゃないかと思っています。本当は全員にということですが、そうすると格差は縮まらない。それを考えるなら、一定の所得制限的なことを考えながらのベーシックインカムというか、デフレ脱却給付金というものは考えてもいいのかな。と思います。格差の是正には一定の役にたつかもしれません。不平不満がないように、ということなら、全員に配らなければならないですが。

――選挙の候補者は、このような政策に合意した上で公認立候補ということになるのですか?

山本　参議院のときは基本政策に合意して立候補ということになったのですが、一方で安冨歩さんは「私は政策とか言っている段階じゃない」って、神様みたいなこと言ってました（笑）。だからそういう人も、今後も現れるかもしれない。「私はこれ、批判するかもしれない」「あ、それも面白いじゃないか」ということになったんですが、まあ一応は基本政策への合意は担保しておきたい。

希望はあなた

――昨年の選挙で木村（英子）さんと舩後（靖彦）さんを特定枠にしましたね。このときすでに、このお二人が当選することで国会内の設備が変わるとか、福祉分野の制度が変わって、より積極的に福祉にお金が支出されるようになるだろうと見越して、二人をまず国会に送ろうということだったんですか？

山本　そうです。それはそうなると思っていました。少なくともハード面はまず変わるだろうと。で、特定枠二人に渡したら山本が危うくなるから一人だけにしろという意見もあったんです。けど、一人だけにしたらおそらく歩みは遅くなってしまう。これがダブルで入れば加速するだろうという思いはありました。

――このお二人を国会に送ること自体が経済政策になると山本さんが思っていたのではないかと思ったんです。

山本　なるほど。これが財政政策だと思っていたわけではありませんが、当然、彼らが国会に行くことで変わって行かざるをえないだろうということは考えていました。

――次の候補者もそれぞれの当事者をということになるんですか？

山本　そうですね。でも衆議院は参議院とは違いますから、全員が個性豊かな当事者ということにはならないだろうと思います。もちろん個性豊かなとは思いますが、なかには、「いまは現職ではないけれど」という人も入るかもしれないし、参議院のときのように、あんなサーカス団みたいなことにはならないと思います。出し物がそれぞれ違います、みたいな（笑）。

逆に、小選挙区であれをやるとすれば、泡沫候補をたくさん生み出すことになる可能性がある。実際に参議院選挙でそれぞれの候補の得票数を見たときに、ボーダーに届かないですよ、みんな。桁が足りなすぎて。衆議院で同じことをしたら、完全に泡沫の面白候補で終わってしまいます。そういう形は避けなければいけない。その中にも特定枠的な考え方、自由競争ではなかなか入らない人を、という考えはありますね。

――消費税廃止、最低賃金を一気に上げる、奨学金返済免除などの政策もあって、それは耳あたりが良すぎるではないか、バラマキだ、飴だ、ポピュリズムだという批判をされることもありますね。

山本　細かい具体的な政策への批判より、ふわっとした批判がほとんどなので気にしていません。演説についてヒトラーと同じ演説やとか。できもしない聞こえのいいことばかり言っている、財源とか示したことがないと。でも間違っていますよね、散々言っているわけだから。イメージでの批判も一定の力を持つわけですから、そのような批判は今後も続くでしょうが。

――ヒトラーじゃないですが、反緊縮派は右傾化しやすいという批判もあります。

山本　歴史のなかには、無尽蔵にお金を作り出して軍事力強化や戦争に突入していった歴史はありますが、私はそんなことをしたいと言ってないですよね。そういうことが心配なら、法律を作って縛るということもできますよ。軍事費にはつかわないだとか。いま、なによりも大胆な財政出動で人びとの生活を底上げしなきゃ大変だという状況はみんな分かっているじゃないですか。消費税増税だけで救えると思っているんですか？　と言いたいですね。

特にネットのなかでは説明が難しいです。ツイッターで「山本太郎に質問したけど回答がない」と言われても、ツイッターのなかに住んでないですからね（笑）。ネットでの広がりは重要ですが、私はもっとリアルにひとに会っていきながら、口説いていくという作業を全体的にやっていけば、世の中が変わるスピードを少し上げることができるかもしれないと思っています。ネットで補強しながら、実際に人と繋がっていきたいですが、なかなか難しいな。

――山本さんは団塊ジュニア、いわゆるロスジェネとも呼ばれる人たち、なかでも特にいままで選挙にも行かなかった人たちに訴えてきていると思います。選挙に行かない人たちのなかには政治に希望を持てない人も多いと思いますが、どう訴えますか？　折しも政府はこの世代への就職支援政策などをはじめています。

山本　ああ、政府がやろうとしているロスジェネへの就職支援政策もありますが、対象人数30万人くらいでしたっけ。全然人数が足りてない。そんな旧来支援に毛の生えたようなことをやってもしょうがないんですね。なにをすべきかといえば、不安定な働き方によって不安定な生活になっているわけだから、まずタダ同然で住めるような住居を用意する必要がある。空きマンションやアパートが山ほどあるわけだから、これを買い上げていく。これは借り上げではダメなんですよ。借り上げだとインフレ目標に達してその政策をやめなくてはならなくなったとき、その事業そのものが途絶えてしまう。買い上げておけば部屋は残るわけだし、ロスジェネ以外にとっても、住まいは権利だということを徹底する。住まいを基礎にすることを根本に据えて、それプラス職業の訓練だったり、給付や減税などをすれば、立ち直りも早い。まずそこをやらなければならない。それからまだ奨学金を返している人にはそれをなくしてあげる。いまよりも自由にお金を使ってもらって、経済に寄与してくれる存在になってもらう必要があるわけです。そんなことできるのかよ、と思われるかもしれないけど、できるんだよ、それが政治なんです。そこに力を集めなければならないんです。

――暗い世の中ですが、希望はあるということですね。

山本　希望はあなたなんだよ、ということです。生きている価値も感じられなくて、もう消えてしまいたいと思い込まされている、そのあなたが希望だということです。この人たちの力を集めたら世の中を動かせる。あまりにも、政治と自分がかけ離れすぎていて、自分が政治を変えられるなんて思わないし、なんの意味もないと思っちゃうけどとんでもない。だって全部国

全部国会のなかで決めて、その命令、法律に従って私たちは生かされている。すべて法律で決められるんです。その法律を決める議会をオキュパイしなきゃダメなんですね。議会に、自分たちの手先を送り込むことに本気になろうぜということです。

会のなかで決めて、その命令、法律に従って私たちは生かされているじゃないか。だから消費税だって上がっちゃったら払わなきゃしょうがないじゃないかということです。すべて法律で決められるんです。その法律を決める議会をオキュパイしなきゃダメなんですね。大企業みたいに、議会に、自分たちの手先を送り込むことに本気になろうぜということです。そのことに本気になっている人たちが、全有権者の2、3割いるんです、いまの時点で。その人たちが、企業に減税したり、非正規労働を広げたり、派遣法を改悪していったり、アメリカから高い兵器を買うことも良しとしたりとか、とにかく自分たちの周りにだけ金を回そうということを全力でやっている。これはでも、全有権者の2、3割程度なんです。そのくらいの人たちしか票を入れていない。つまり、そこに投票していない人の方がずっと多いわけです。だからその力を集めればコントロールできるんです。だから私は全く、世の中を変えられないとは思っていない。

——昨夏の選挙で手応えは感じていますよね。あの短期間であの旋風を作った。

山本　ええ。でも、かなり現実を突きつけられましたね。もともとそこまで夢は見ていなかったですが。

——投票率がとても低かった。

山本　投票率が低かったのもそうですね。投票率がここまで低くなっていることに関して、元の民主党を再結成したらブームが起こって、というように考えているとすればそれは安易だと思いますね。多くの人たちが、政治を自分から引き離していることに、政治家自身が気づかなきゃいけない。永田町の論理なんて興味ない人の方が圧倒的です。だからこそ塊になる以外の旗が必要だと思います。いま、50%が票を捨てているんですから、その人たちを引きつける魅力的な旗は絶対に必要です。

――そのために、いまなにが欲しいですか？

山本　うーん。40億円欲しい！　20億円じゃ１００人候補者立てるにもカツカツの状態なので、40億円あれば、全国放送のテレビコマーシャルや新聞広告もうてるし、マンパワーも増強してやれる。大きな結果が残せる戦いをやれる。

　まあ、お金は必要です（笑）。他に「欲しいもの」は権力。みんなのために行使しますよ。大胆な財政出動とはなにかをお見せしたい。いろいろいいましたけど、それらを手に入れるために本当に必要で一番欲しいものは、「あなたの力」ということになるんでしょうね。一人ひとりが主体的に動きながら広げていくという、積極的なあなたの力。これがないと、広がりようがないんです。テレビは1%の視聴率で百万人の人が見ますけれども、その1%百万人が見ているなか、私たちはミニマムな政党なので、発言に与えられる時間も極端に少ないんです。テレビに出ないよりは出る方がマシだけど、出てもほとんど話はできない。とするならば、もちろん電波に乗れる機会は逃さないとしても、残されているものは草の根だけなんです。だから世の中ひっくり返してやろうぜ、世の中もっと面白くしてやろうぜという気持ちがあなたに1ミリでもあれば、これを広げるというような私たちの動きに一緒に乗っかって欲しいと思いますね。

（取材：水越真紀＋Cargo、２０２０年1月15日）

INTERVIEW

(2)

TATSURU UCHIDA

内田樹

みんなが正しいことを言うけれど、
そこには笑顔がない。
もっとふざけた人がいていい。

風紀委員化する社会——いまの日本は、悪政が深まれば深まるほどみんなが正しいことを叫び、みんなが間違った考え方を糾弾する。そこに笑顔はない。正しくまじめな生き方はときに有害な場合もあると、哲学者の内田樹は言う。正しい意見しか選択することが許されないのはほんとうに不幸なことだ。もちろん正しい生き方をする人はいたほうがいいのだろうけれど、他方でもっとふざけた生き方をする人がいてもいい。知の巨星が語る。

山本太郎を支持する理由

――山本太郎を支持するようになったきっかけはなんだったのでしょう？

内田　3・11の後です。俳優だった彼が政治的な発言をするようになったとたんに干されて仕事がなくなってしまったと聞いて、日本の芸能界はひどい世界だと思うと同時に、ガッツのある人だなと思って、遠くから応援していました。その後、彼が参議院議員になって2〜3年目のころかな、凱風館で対談することになってはじめてお会いしました。オープンマインドで、とてもフレンドリーな方だったので、いやあ、いい男だなと（笑）。

　最小限度の、具体的な綱領を掲げて、それに同意してくれる組織や運動とは条件をつけずに連帯するという彼のやり方は日本の左派、リベラルには少ない。伝統的に左派はあらゆるトピックについて「これだけは譲れない」という綱領をずらずらと掲げて、一つでも整合しないと連帯を拒む。その非寛容さを思想的な潔癖さだと思っている。でも、すべての点で同意するところだけと組むということをしていると、組織はどんどん縮んでゆく。「小異を捨てて大同につく」ということが日本の野党はとにかく苦手です。だから、自民党が結党以来65年政党としての同一性を保っているのに、共産党を除いた野党勢力は離合集散を繰り返している。政策的な非寛容は、政治家としての廉潔さと表裏一体でもあるので、一概に否定はできないんですけれど、結果的にそれが自民党政権の長期化をもたらしている。自民党はその辺がまことにずさんですよね。昨日まで反対していた政策に一夜にして賛成したりというようなことは日常茶飯

Launching convention of the Liberal Democratic Party of Japan, 15 November 1955

事です。とにかく政権にしがみついていられるためならなんでもやる。その政治的な無原則のせいで現に巨大勢力を形成している。野党が結集して、自民党に対抗できる政治勢力になるためには、自民党のこの「緩い」組織戦術に学ぶ必要があると僕は思います。いくつか基本的な政策で合意できたら、それに至る手順についてはそのつどの最適解を相談しながら決めてゆくということでいいんじゃないですか。でも、そういう「出たとこ勝負」みたいな柔軟性が野党にはない。山本太郎はその点で例外的だと思います。彼はイデオロギーで政治家になった人じゃないから。いま目の前に不正がある、目の前に困っている人がいる、そういう具体的な問題を解決するための手段として政治がある。ある意味徹底的にプラグマティックですよね。そういう資質は他の野党政治家にはなかなか見られないんじゃないですか。

―― 立憲とは距離があるように見えます。彼は野党分裂の原因になっているのでしょうか？

内田 野党を分裂させる気はないと思います。ほんとうは野党第一党の立憲民主党が中心になって野党共闘を牽引すべきです。でも、立憲民主党も国民民主党もどちらも、広範な野党共闘に積極的であるようには見えない。党名がどうだとか、細かいことを言っている。もともと同じ政党にいた人たちが再統合するだけでこれだけ揉めている。今、目の前にある具体的な政治的課題をどうするかよりも、次の選挙で自分の議席をどう守るのかという方に気持ちが向かっている。それじゃ政権は狙えないです。山本太郎はそれに苛ついているんじゃないですか。

―― 前回の参院選では、本人は落ちてもれいわの躍進をとるという闘い方でした。

内田 山本太郎自身は議席をとろうと思ったら、どこだってとれると思います。衆院でも参院でも、どこかの補選に出ればたぶん当選するだろうし、知事選でも出れば当選するんじゃないかな。

―― 彼のことを極右と呼ぶ人もいれば極左と呼ぶ人もいて、不思議なグラデイションのなかにいる印象があります。

内田 伝統的な右派左派というカテゴリには収まらないと思います。

―― それが、彼がポピュリズムと言われるゆえんでしょうか?

内田 いや、ポピュリズムというのは明確な政治イデオロギーですから、そういうのとは違うと思います。彼はイデオロギー先導じゃないから。彼はプラグマティスト、現実主義者というべきじゃないかな。目の前に難問がある、解として選択肢がいくつかある、そのときに、どれが一番国益に資するのか、どれが一番国民生活にとってプラスになるのか、どれが一番行政コストがかからないか……という具体的な「ものさし」で政策を吟味しているんだと思います。

今は30年、50年という長期的なヴィジョンを持っている政党なんて世界じゅうどこにもないと思いますよ。どこも目先の政治的な難点をどう解決するかということに必死ですから。アメリカもそうだし、イギリスもそうだし、ＥＵもそうだし、中国、韓国もそうだし。そういう先の見えない状況で、右だ左だと言っても仕方がないという気がするんですよ。とくに今アメリカやヨーロッパでホットな問題は現代貨幣理論（ＭＭＴ）ですけれど、このアイディアに一番最初に反応した日本の政治家は山本太郎だったでしょ。こういうのにはほんとうは右も左もない。でも、既成政党は、現代貨幣理論は資本主義的なのか社会主義的なのかイデオロギー的な見極めがつかないので、判断保留している。山本太郎はぱっと頭を切り替えた。そういうことができる。

山本太郎はイデオロギーで政治家になった人じゃない。いま目の前に不正がある、目の前に困っている人がいる、そういう具体的な問題を解決するための手段として政治がある。ある意味徹底的にプラグマティックですよね。

貨幣に使用価値はない

——内田さんは薔薇マークキャンペーンの呼びかけ人でもありますが、MMTの理論についてはどういうところに賛同しているのでしょう?

内田　僕は経済学のことには門外漢なので、個別の経済政策については適否の判断をすることができませんけれど、「貨幣の本質は何か?」という人類学的問いについては自分の意見があります。貨幣の本質は運動性です。モノやサービスや資本や情報の交換を加速するために貨幣は発明された。だから流動性が高まる貨幣政策が好ましいと思う。逆に、貨幣が一部の集団に排他的に蓄積され、退蔵され、リターンの大きそうなビジネスだけに集中的に投資される……といういまの資本主義の仕組みは貨幣の本義に反すると思っています。実際に、そのせいで社会的流動性が失われ、消費活動が停滞し、階層が固定化し、環境破壊や気象変動が起きている。一握りの超富裕層以外はみんな不幸になっている。そうならないように経済政策は立案されるべきだと思います。

僕が経済政策についてコメントする場合は、その政策によって「社会的な流動性が高まるか」、「個人の自由度が高まるか」、「環境が保全されるか」といった点で評価することにしています。

現代貨幣理論が「貨幣の運動性を高める」ことをめざすなら、僕はそれに賛成です。もともと貨幣って、人間が発明したただの道具なんですから。それをどう使うと人間が幸福になるかを考えればいい。現代貨幣理論で気に入ったのはその点ですね。貨幣を物神化する資本主義的な倒錯に対する批評性がある。「金よりも命が大事だ」という当たり前のことを忘れている人が多すぎますからね。改めて「人間にとって貨幣とは何か」「人間にとって経済活動とは何か」という本質な問いを前景化してくれたことが現代貨幣理論がもたらした最大の功績だと思います。

―― 道具としての貨幣についてもう少しご説明いただけますか。

内田　貨幣には使用価値がありません。洟《はな》もかめないし、包み紙にも使えない。だから本当を言うと、持っていてもしょうがないものなんです。何かと交換する以外に使い道がない。「ババ抜き」の「ババ」と同じです。使用価値がないからこそ、誰かに押し付けて、使用価値のあるものと交換したいというインセンティブを高める。

中央銀行が発行している紙幣は「ババ」なんです。国民国家というものはいずれ必ず滅びるものなんですから。国民国家がなくなる時には、中央銀行の発行する紙幣も紙屑になる。いつか紙屑になると思っていたら、誰も紙幣では取り引きしなくなる。でも、それが通用しているのは、「国民国家は未来永劫生き延びる」という嘘を前提にしているからです。みんなだって、それが嘘だということはわかっているんですよ。でも、何か交換を加速する仕掛けが要るので、しかたなく中央銀行の発行する貨幣を使っている。

何でもいいんです。交換を加速するものならば。ただ、物々交換だと、こちらが欲しいものをあちらが余分に持っていて、あちらが欲しいものをこちらが余分に持っているという「欲望の二重の一致」が成立しないといけない。でも、そんなことは確率的にはまず起こらないから、貨幣が発明された。多様な商品・サービスを提供できる人たちがコミュニティを作って、相互

Money Changers, painting by Marinus van Reymerswale, the Hermitage Museum

支援できる体制があれば、実は貨幣は要らないんです。「欲望の二重の一致」はある程度のサイズの集団内部でなら、わりと簡単に成立するから。

僕が主宰している凱風館は、道場であると同時に、地域住民の相互支援ネットワークでもあるわけです。構成員は2~300人です。このメンバー間でもモノやサービスのやりとりは行われていますけれど、多くは貨幣が介在していません。自分が持っているもの、自分ができることを登録しておいて、誰かから「欲しいモノがある」「手伝って欲しいことがある」というオッファーがあったら、引き受ける。それを相互に行う。他の人が苦労していることが自分には簡単にできるということがあるし、逆に自分は苦手だけれど、それが得意な人にとっては「お茶の子さいさい」ということもある。市場で購入した場合には高額の商品やサービスが、凱風館周りではほとんど無償で手に入るということが起きる。貨幣を使って市場で調達するよりも交換が早く、財貨サービスの質が高いなら、こちらの方がいい。

万国のブルジョワジーは団結している

――凱風館は200人から300人ほどとのことですが、そのようなコミューン、貨幣を最優先にはしない共同体の、最大の規模はどのくらいだとお考えですか?

内田　あまり大きくはできないと思います。19世紀のイギリスにロバート・オーウェンという空想的社会主義者がいて、自分の工場の従業員とその家族たちのために住居や学校、病院、商店などを整備して、コミュニティを作りました。家族も含めてせいぜい5000人くらいの規

A bird's eye view of a community in New Harmony, Indiana, United States, as proposed by Robert Owen. Engraving by F. Bate, London 1838.

模だったと思います。その閉じられたエリアの中なら、外の悲惨な労働環境とは別世界のような快適な生活が送れた。それでも継続的にやっていくのはなかなか難しかったようです。500人くらいがおそらく上限でしょう。日本で、オーウェンほどの資金力もない人が実践しようと思ったら、数百人が限度じゃないかな。でも、そういう数百人規模の小さなコミューンが日本中にたくさんできて、それがゆるやかにつながっていれば何とかなるんじゃないですか。

――大きすぎると難しくなるのはなぜでしょう?

内田　どんな組織でも大きくなると「管理部門」ができるからです。組織が機能して、みんながちゃんと働いているかどうか、さぼっていないか、盗んでいないか……そういうことを監視するセクターが必要になる。そこは管理するだけで、価値あるものは何も創り出さないんですけれど、いつのまにかそこに権力も情報も予算も集積する。組織が大きくなるにつれて、管理部門が肥大化して、いつの間にか「働いている人間」よりも、「働かせる人間」の数が多くなってしまうという倒錯が起きる。当然組織の生産性は低下しますけれど、そうなると「組織の生産性を向上させる委員会」のようなものが組織されて……そういうのって無意味じゃないですか。だから、管理部門を作らなくても回せる程度のサイズまでだと僕は思います。誰かが監視したり、査定したりしなくても、機能できるサイズには上限があるんです。お互いに顔見知りで、いちいち起票したり、稟議《りんぎ》したりとかしなくても、「あれ、お願い」「あ、いいよ」で済むサイズまでだと思います。組織マネジメントにリソースを割くというのが僕は嫌なんです。

数百人サイズの共同体だと、中心になるのは「場」です。中心に「パブリックな空間」があって、そこにはメンバーが出入り自由で、共同的に使えること。そのパブリックな空間、いわ

貨幣には使用価値がありません。持っていてもしょうがないものなんです。何かと交換する以外に使い道がない。「ババ抜き」の「ババ」と同じです。使用価値がないからこそ、誰かに押し付けて、使用価値のあるものと交換したいというインセンティブを高める。

ゆる「コモン（入会地、共同管理地）」を取り巻くようにして、顔見知りの人たちが暮らす。コモンと集住、この二つの条件が必須だと思います。

現代では、誰もが不動産というのは私有財だと思っている。だから、「ここは自分の家」「ここは自分の土地」と区切り、「私有地につき立ち入り禁止」と看板を立てて他人を排除する。それが当たり前だと思っている。でも、土地の私有が始まったのなんて、それほど古い話じゃないんです。19世紀までは地球上のほとんどは「誰のものでもない土地」だった。

イギリスで「囲い込み（enclosure）」が始まる前は、農夫たちは広大な「コモン」を共有し、共同管理して、そこで羊や牛を放牧していた。でも、それが資本家に買い上げられて、私有地になった。資本主義的に言えば、私有地の方が生産性が高い。そうやって自営農たちは没落して、都市プロレタリアになって産業革命の労働力を提供した……と世界史で習ったと思います。でも、もうそういう時代は終ったんじゃないかと僕は思うんです。だって、自分たちの世界を私有地・私有財産として細分化するとどんどん息苦しくなるじゃないですか。その分断をもう一度「コモン」や「コミューン」へと開いてゆきたいと僕は考えているんです。

かつて農村で、森林や山や河川を共同管理したわけですけれども、「コモン」の適正サイズもせいぜいそれくらいだと思います。歩いても日の暮れないうちに戻ってこられるくらいの距離。その範囲内を「コモン」として共有、共同管理する。それが本来の意味での「コミューン主義（communism）」だと思います。マルクスが考えていたのも、そういうかたちだったと思います。コミュニズムというのは、必ずしも政治革命を通じてしか実現できないものじゃない。

――そのお話からＥＵやブレグジットのことを連想しました。残留を支持していたのはいわゆる良識派でしたが、グローバルな巨大経済の支配から距離を置くという点では離脱のほうがいいのではないかという考えもあり、それともつうじるお話かなと思いました。

内田　「EUはサイズが大きすぎる」とヨーロッパの人が感じたというのはありそうなことです。EUの原点はクーデンホーフ＝カレルギーの「汎ヨーロッパ」構想だと言われますが、その先駆的アイディアはすでに17世紀の「文芸共和国（République des Lettres）」の頃からあった。ヨーロッパで国民国家が基礎的な政治単位になったのはずいぶん後になってからです。実際には、19世紀後半のドイツとイタリアの統一までは、国民国家の国境線はそれほど決定的な断絶線としては意識されていなかった。

　何よりも貴族階級や大ブルジョワジーは、国民国家の枠組みを超えて、クロスボーダーな閨《けい》閥《ばつ》を形成したり、ビジネスや政治の同盟関係を取り結んでいた。ある意味でヨーロッパの「上層部」では、汎ヨーロッパ的な連携は、潜在的にはつねに存在していた。

『共産党宣言』は「万国の労働者よ、団結せよ！」という有名なスローガンで結ばれますけれど、その前提には「万国のブルジョワジーはすでに団結している」という常識がありました。特権階級は国境線を超えて団結しているのに、プロレタリアは国境線で分断されて力を殺がれている。そのことにマルクスは苛立ったのです。今も似たようなものです。アラブの王族や中国の富豪やアメリカの投資家たちはグローバルなヘッジファンドを運営していて、自分の帰属する国民国家の国益とは無関係なところで、莫大な個人資産を積み上げている。

　ヨーロッパの庶民はブリュッセルのEU官僚については、その顔も知らないし、名前も知りません。自分たちが投票して選んだわけでもない人たちが、自国政府の頭越しに自分たちの運

Cover of the Communist Manifesto's initial publication in February 1848 in London.

命を決める。そのことに対するフラストレーションはあったと思います。マルクスはそれに「クロスボーダーな労働者の団結」で応じたけれど、ブレグジット派は「ボーダーの再強化」で応じた。同じ与件から違う解を導いたということです。

イギリスはEUに対しては当初から「付かず離れず」の関係でした。だから、ユーロも採用しなかった。EUの一員であることのメリットと、アメリカの同盟国であることのメリットの両方の「いいとこ取り」を狙っていた。でも、チャーチルのようにそれほど複雑なマヌーヴァーを駆使できるだけのスケールの政治家がいなくなった。そういうことだと思います。

―― 山本太郎の起こしているムーヴメントは、たとえばスペインのポデモスや、アメリカのバーニー・サンダース、オカシオ＝コルテスなどが巻き起こしているオルタナティヴな運動とリンクしていると考えていいでしょうか？

内田 リンクしていると思います。ただそれは、よそでこういう実践があったから、それを模倣しようということではないと思います。世界同時多発的に起きるんです、こういうものは。いま世界のどこも反民主主義的で、強権的な政治家が成功しています。アメリカのトランプも、ロシアのプーチンも、中国の習近平も、トルコのエルドアンも、フィリピンのドゥテルテもそうです。非民主的な政体と市場経済が結びついた「政治的資本主義」が成功している。

中国が典型ですけれど、独裁的な政府であれば、どのプロジェクトにどのリソースを集中すべきか一元的に決定できる。民間企業も軍部も大学も、党中央の命令には服す。巨視的なプランを手際よく実行するためには、独裁制の方が圧倒的に効率がよい。民主国家ではそんなことはできません。でも、非民主的な国なら、政府のアジェンダに反対する人たちは強権的に黙らせられるし、人権も制約できるし、言論の自由も抑え込める。だから、短期的な成功を目指す人たちにとって「中国モデル」は魅力的なんです。日本の安倍政権も、無自覚ですけれど、中国やシンガポールのような強権政治にあこがれている。だから、国内的にそれに反対する動きが出て当然なんです。山本太郎はそれだと思います。

検閲はびこる大手メディア

――民放や全国紙などの大手メディアが彼をとりあげないのはなぜなのでしょう？

内田　参院選が終わった直後、ある大手紙が僕のところに取材にきて、れいわ新選組の躍進について意見を聞きたいと言ってきました。選挙期間中には、れいわ新選組についてまったく報道しなかったメディアが今ごろやってきて何を言うのかと叱りつけたんです。あれは「事件」じゃないですか。短期間で立候補者を集めて、4億円以上の資金をクラウドファンディングで集めた。それって「事件」でしょ。「ニュース」じゃないですか。それを政治的中立性がどうたらと言って報道しなかった。それはジャーナリストとして自殺行為じゃないかと言ったんです。そしたら、その記者が言うのは、実はずっと山本太郎のことは取材していたんだそうです。専属チームも作って、選挙活動の最初から、映像や音声を撮っていたので、素材は山のようにあった。でも、使ってもらえないんだ、と。いくら記事を書いても、ニュース映像を作っても、上がボツにする。山本太郎だけじゃなく、辺野古もそうだと言ってました。現場は必死でニュースを取材しているんだけれど、上が抑えている。

> いくら記事を書いても、ニュース映像を作っても、上がボツにする。山本太郎だけじゃなく、辺野古もそう。現場は必死でニュースを取材しているんだけれど、上が抑えている。

――検閲するということは、それを脅威だと思っているということですよね。

内田　そうですね。そのまま放送されたり、記事にされると、政権に大きなダメージを与えるということがわかっているから抑え込んでいる。「桜を見る会」もそうですけれど、関係者を取材して、証言を取れば、公選法違反で首相を追い込めることはわかっている。でも、政権維持のために、メディアの上層部、政権の連中と一緒に寿司を食ったりしているような連中がそれを報道させない。

――われわれはネットや『週刊金曜日』などの小さなメディアのおかげで山本太郎の活動を知ることができているわけですが、他方で地方の年輩の方などは、情報源がテレビくらいしかなかったりもしますよね。

内田　テレビと大手紙しか読まない人たちとネットで情報を取っている人たちとのあいだに情報格差が生まれています。世界の見え方がまるで違うと思う。テレビがもう少し現実をありのままに映し出してくれたら、政治は変わると思いますけどね。テレビはそのラストチャンスを失いつつあると思う。若い人はもうテレビを見なくなっている。

――テレビというメディアは、むかしからそういうものだったのですか？

内田　違いますよ！　むかしはテレビって、過激なメディアだったんですよ。民放が始まった頃から僕はずっとテレビを見てきましたけれど、60年代はじめころの民放の番組はほんとうにワイルドでアナーキーで面白かったですよ。

――いまはスポンサーの権力が強くなってしまったということでしょうか？

内田　作り手が「自己検閲」しているということでしょうね。前例がないことはしない、という。草創期のテレビには前例がなかったから、何でもできた。アメリカのテレビ番組はあったけれど、制作費の桁が違うから、真似できることは限られている。だから、独創的なアイディアが必要だった。

日本では50年代にまず『週刊新潮』、『週刊文春』、『朝日ジャーナル』といった週刊誌が出てきました。週刊誌というのは、当時は新しいメディアだったんです。編集者も30代40代の各社の若手たちで、おおかたが戦中派でした。20代で召集されて、同世代がたくさん死んだ。生き残った人たちが敗戦の焦土と化した祖国に戻ってきて、なんとかマスコミに就職してみたけれど、上司は自分たちを戦場へ送った、「上の世代」だった。

その戦中派の生き残りたちの世代が、戦後15年くらいにようやく自分たちの企画で新しい媒体を作ったり、新しい番組を制作することができるようになった。この時の「ようやく自分たちの世代のためのメディアを手に入れた」という勢いはすごいものでした。60年安保闘争の後にはまともな企業に就職したくないし、就職できないという若者たちが大挙して草創期の週刊誌やテレビや広告代理店に雪崩れ込んできた。今では高齢者向けメディアですけれど、この時代は違っていた。批評的で、創造的なメディアだったんです。大昔の話ですけど。

――いまは大手の新聞を辞めた人が『バズフィード』や『ハフポスト』などのオンライン・メディアへ移っているという話も聞きます。

内田　そういう流れはあると思います。暮れに、望月衣塑子さん中野晃一さんと一年を回顧する番組をやったんですが、制作主体はテレビ局や新聞社の若手たちです。みんなそれぞれに作りたい番組、書きたい記事があるんだけれども、それが許されない。仕方がないので、自分たちで手作りしたコンテンツを自分たちで配信することにした。そこまで追いつめられている。

テレビも地方局はまだがんばっているところがありますけれど、東京も大阪ももうダメですね。関西は維新と吉本がテレビを仕切ってますから。

――吉本興業の影響力は大きい？

内田 吉本は政権のお抱え広報機関ですから。

――お笑いは詳しくないのですが、松本人志の発言なんかはだいぶひどいですよね。

内田 吉本興業は政権の広報機関として巨額の資金援助を受けているわけですから、芸人が政権擁護をするのは彼らの「仕事」なんですよ。

仕組まれた無力感

――内田さんの『生きづらさについて考える』を読んでいて目から鱗だったのは、政権与党側が、わざとまともに質問に答えなかったり、ヤジを飛ばしたり強行採決したりして、もはや議会制民主主義が機能していないという印象を与えることで、計画的に投票率を下げている、という分析でした。

内田 立法府に対する信頼を掘り崩してゆくことが自民党の長期的な狙いで、それは成功しています。国会審議は無意味な政治ショーに過ぎない、国会議員というのは知性においても徳性においても優れた人間ではないというイメージを広めてゆけば、有権者は選挙に関心を失います。投票率が下がれば、組織票を持っている政党が勝ち続ける。安倍政権は国会審議の空洞化にみごとに成功したと思います。どんな質問にもまともに答えない、嘘をつく、前言と矛盾することを平然と言う、そして、与党が出す法律はどれほど野党が反対しても最後は強行採決される……そういうことを7年繰り返していれば、国民も「国会には存在理由がない」と思うようになります。結果的に、閣議決定や内閣の恣意的な法解釈が国会での立法に代行するようになる。「法の制定機関」と「法の執行機関」が同一である政体を独裁制と呼びます。その定義を適用すれば、安倍政権は事実上の独裁制になっています。

　これまでの基準を当てはめればもう10回くらいは内閣総辞職していないとおかしいくらいに失政・不祥事が続いているにもかかわらず、政権は何ごともないように延命して、憲政史上最長記録を日々更新している。ふつうは内閣支持率が6割近くないと円滑な政権運営はできないので、どんな内閣も国民のマジョリティの同意を得られそうな政策を採択するものですけれど、安倍内閣は違う。30%ほどの自分のコアな支持層だけに受ける政策を採り続けている。そして、確かにそれで十分なのです。というのは、残り70%の有権者は自分たちの意志はしょせん国政には反映されないという無力感に蝕まれ、投票のインセンティブを失うからです。「自分たちの意志が国政に反映されている」と感じる30%と「何を訴えても国政には反映されない」と感じる70%に有権者を二分すれば、30%が選挙では圧勝する。そういう仕掛けです。

――それにより安倍政権は歴代最長の政体になりましたが、いまの政権や自民党の状況は、これまでの日本の政治のなかでどのように位置づけられるでしょう?

内田　末期です。安倍政権が終わった時に自民党という政党は終るでしょう。自民党がかつてのような国民政党としてもう一度党勢を回復するということはないと思います。70%が反対する政策であっても、30%が支持すれば実施できるという「成功体験」に慣れ切ってしまいましたから。国民を分断して敵味方に分けて、味方を優遇し、敵を冷遇するというネポティズム政

国会審議は無意味な政治ショーに過ぎない、国会議員というのは知性においても徳性においても優れた人間ではないというイメージを広めてゆけば、有権者は選挙に関心を失います。投票率が下がれば、組織票を持っている政党が勝ち続ける。

治しか若い自民党の政治家は知らない。立場の違う人たちと対話して、譲るところは譲って、「落としどころ」を探るというような高度な交渉技術を持っている政治家を自民党は育てることができなかった。かと言って、野党政治家にそれだけの力量があるかと言えば、これも心もとない。でも、ポスト安倍期に必要なのは、60年安保闘争で岸信介が国民を二分してしまった後に登場してきた池田勇人が「寛容と忍耐」を掲げましたけれど、あれと同じような「国民の再統合」だと思います。

―― そのような状況が変わる可能性はあると思いますか?

内田 国民的再統合が果たされなければ、日本に未来はないですから。でも、「打って一丸となる」ということを勘違いしないで欲しいんです。高度経済成長期もバブルの時もそうでしたが、どちらの時期も、日本人は金儲けに夢中でしたが、国民的な分断はなかった。僕のような反時代的な、生産性も社会的有用性もまるでない人間のことも構わず放っておいてくれた。「なんで金儲けをしないんだ。バカじゃないか」と冷笑されましたけれど、していることを「やめろ」と言われることはなかった。みんな自分の仕事に忙し過ぎて、隣の人がやっていることに口を出す暇がない。それが僕の考えるとりあえず現実的な国民再統合のイメージです。

今日本は分断されていますけれど、それは隣の人間のやっていることをうるさく詮索して査定して、気に入らないと「非国民」とか「反日」とかレッテル貼りをするバカが湧いて出ているからです。「日本人は一つにまとまるべきだ」と言い立てながら、国民的分断を進めている。そのせいで日本はここまで国力を失った。

「自分がほんとうにやりたいことに専念する」というのが一番生産性を高めるふるまいである

ことはどなたでも同意して頂けると思いますけれど、「専念する」には「他人のことに構ってる暇がないほど」という条件がつくんです。隣の人間が何しようとどうだっていいんです。自分が何をするかだけが問題なんです。

幕末のころには「志士」というのが大挙して登場しましたけれど、あの人たちは「オレが頑張らないとこの国はダメになる」というある種の誇大妄想を病んでいたわけです。個人の努力が国の運命を左右すると思い込んでいた。そういう妄想を病んでいる人間の人口比率が一定の値を超えると国力が増大し、国運が一気に向上する。それが明治の日本と清朝中国・李氏朝鮮の決定的な違いだったと思います。

でも、安倍政権は70％の国民に対して、「自分が何をしても世界は変わらない」という無力感を扶植《ふしょく》することに「成功」してしまった。残り30％は「オレが頑張らなくても、何でも思い通りにしてくれる」という居心地のよいネポティズム政治に居着いてしまった。「オレが頑張らないとこの国はダメになる」という使命感に身を焦がす……というタイプの人間をゼロにしたのです。そりゃ、国力も低下します。

安倍政権は個人の努力が国運向上にリンクするという幻想をみごとに破壊しました。そうやって無気力な、権威に尻尾を振るだけのイエスマンの大量育成には成功しましたけれど、そんな人間がイノベーションを担うというようなことは原理的にあり得ないんです。

——これほど非正規雇用が増えて、医療も教育も、高齢者も若者もいろんな問題があって、もう暴動が起こってもおかしくない状況だと思うのですが、そうはなりません。

内田　連帯という経験がないから無理です。子どもの時からずっと分断され続けてきたんですから。日本の学校教育は子どもたちを同学齢集団内での競争に追い込んで、一人一人の市場価値を査定、格付けすることを本務としてきた。競争で相対的に劣位に格付けされるとあらゆるリソースの分配で不利になると教え込まれてきた。恐怖心を利用して、競争に追い立ててきたのです。

その成果で、今の若い人たちは連帯能力が乏しい。「集団的なパフォーマンスを高めるために自分は何をすればいいか？」ということを問わなくなった。連帯というのは技術がないとできないことなんです。長期的に、広いスパンで見た場合に「利害が一致する」ということがわかるから連帯できる。短期的に、目先の利害得失を考えたら「利己的にふるまう」方が有利なんですから。だから、目先のことだけを考える、「当期利益至上主義」的な人は、若い人だけではなく、中高年の人も、連帯する技術を持っていない。

よく教職員の集まりに呼ばれます。文科省がほんとうに何をしたいのかが分からないという嘆きを聞かされます。「文科省に、あなたたちのやろうとしていることは間違っていると伝えるためにはどうしたらいいんでしょう」と訊かれたので、「教員たちが連帯して、文科省と戦えばいいじゃないですか」と答えたら、のけぞっていました（笑）。それだけは考えたことがなかった、と。「連帯して戦う」ということが選択肢の中にないんです。

―― そんな状況を少しでも変えていく契機はどこにあると思いますか？

内田 支配者の基本戦略は「分断して、無力化して、統治する」です。権力者は必ず国民の間に対立を作り出して、権力に抗う力を殺ごうとする。今日本に必要なのは「国民を統合して、国力を高める政治家」です。国民の声を広く拾って、それを統合できるような綱領や組織を構想できる政治家が必要です。

今の政権は権力保持が自己目的化しているので、国民を無力化することを最優先している。だから、どんどん国が弱体化する。実際に、日本はＧＤＰで中国に抜かれ、一人当たりＧＤＰではもうシンガポール、香港、韓国に抜かれた。台湾に抜かれるのも時間の問題です。今の日本は東アジアの「後進国」に転落中なんです。90年代までは、アメリカを抜いて世界一の経済大国になるかとまで思われていたのが、30年でここまで落ちた。それは「どうすれば国力が向上するか？」ということを優先的な課題とすることを止めたからです。その代わりに、どうやって管理を強化し、格付けを精密にして、限られた資源を傾斜配分するかということに夢中になってきた。国民を管理することに過剰なリソースを投じたせいで、国民は思惑通りに無力化して、権力に抗う意欲をなくしたけれど、同時に創造力もガッツも失った。管理部門が肥大化すると組織は生産性を失うという話を先ほどしましたけれど、安倍政権下の日本はまさにそれ「だけ」をやってきた。国民をいかに無力化弱体化するかについてこれほど勤勉な政権は歴史上存在しません。現状はその努力の成果なんです。そのことに気がつかない限り、日本再生のシナリオはないです。

市場原理に侵される大学

――近年大学では研究費が削られたり非常勤が増えたり、産学連携もどんどん進んでいます。先日も東大の教授が人種差別発言をして問題になりましたが、あれこそまさに産学連携の悪例だと思いました。いまは教

大学は本来ある種の「ノーマンズ・ランド」、政治権力や市場の思惑と関係ない「非武装中立地帯」でなければならないんです。俗世間とは関係ないことをするのがアカデミアの手柄なんですから。

員が生徒＝顧客から評価される状況だとも聞きますし、知を営むはずの場がビジネスの論理に侵されています。その背後には、世のあり方や仕組みなどに疑問を抱く人を少しでも減らそうという体制側の意図が潜んでいるのでしょうか?

内田　大学が反秩序的な思想や運動の拠点になることに対する警戒心は戦前戦後から一貫してあったと思います。でも、今の自民党政権ほど露骨にアカデミズムを敵視した政権は過去にはなかったです。

大学は本来ある種の「ノーマンズ・ランド」、政治権力や市場の思惑と関係ない「非武装中立地帯」でなければならないんです。俗世間とは関係ないことをするのがアカデミアの手柄なんですから。「放っておかれて、好きなことをする」時に大学の学術的生産性が一番高まるんです。「いったいお前は何をやっているんだ。それは金になるのか、国威発揚に資するのか?」とうるさく訊かれて、報告しろとか言われるのが、大学人としては一番鬱陶しいんです。でも、今の政官財の人たちは、大学で政治とも市場とも関係がないことが行われていることを許し難いと思っている。だから、交付金も助成金もどんどん減らして、「研究したければ外部資金をとってこい。市場のニーズがある研究だけしろ。ニーズのない研究は止めろ」という露骨な介入を始めた。市場がものの価値を決める唯一の「ものさし」だと信じている人たちは「市場は間違えない」という前提を採用していますけれど、そんな信憑には何の根拠もありません。中身スカスカのジャンクな商品が選好されて、良質な商品は見向きもされないということは市場では日常茶飯事ですから。

そもそも本当にイノベーティブな研究や知的ブレークスルーをもたらす研究は、既存の「ものさし」では価値が考量できない。市場の判断に依拠してすべての制度を再編するということになれば、大学がイノベーションやブレークスルーをもたらすことはなくなる。政官財の指導者たちが「それでもいい」と思っているのだとしたら、これもまた国民は知的に無能化した方が管理しやすいという「無力化・愚民化」政策の帰結だと思います。

——市場のロジックの徹底が進むと、たとえばどうなりますか。

内田　市場のロジックに従えば、最低のコストで最大の利益を上げることがプレイヤーの義務になる。教育事業の場合だと、「教育コストを最少にして、利益を最大にする」ことです。だから、ビジネスマンが大学経営に携わると「どうやって教育活動をしないで済ませるか」を考えるようになる。学納金だけ取って、教育活動はできるだけしないで、さっさと単位や卒業証書を出すのが一番儲かる。だから、２００３年に特区で認められた株式会社立大学がまずやったのは、キャンパスを持たない、専任教員を雇わないということでした。貸しビルに教室を借りて、大人数を詰め込み、職員に授業をやらせたりビデオを見せたりして教育コストを最低化した。

　これは「学位工場（degree mill）」の真似なんです。アメリカでは「学位工場」に論文らしきものを送って、代金さえ払えば、修士号や博士号がもらえる。無意味な学位なんですけれど、名刺に刷ったり、オフィスに学位記を掲げたりすれば、それで騙される人がいる。だから、学位を金で買う人がいる。中身がジャンクだと分かっていて「欲しい」という人がいるなら、「売る」側を詐欺に問うわけにはゆかない。でも、これこそある意味でビジネスマンの考える大学の理想なんです。教育コストゼロで学納金が入ってくるんですから。

実際にはここまで極端ではありませんけれど、それでもビジネスマンが大学経営に口を出すと「どうやって教育コストを下げるか」「どうやって教育しないか」をまず考えるようになる。でも、「できるだけ教育をしたくない」という人は教育事業には関わって欲しくない。

ご機嫌でいこう！

――そのようなビジネスマインドはいまやあらゆる分野に及んでいて、たとえば若者が恋愛しないのも、お酒を飲まないのも、コスパが悪いからということになっています。ビジネス的な発想で考えることがどんどん個人たちのなかで内面化されていっている。そんななかで、山本さんが政治の分野でがんばったり、内田さんご自身も凱風館というコミュニティの実践をされています。僕は、いわゆる文化的なものや広い意味での芸術には、それまでじぶんが見ていたのとは異なる見方を与えてくれる側面があると考えているのですが、こんな時代にあって、文学や映画、音楽、美術など、広い意味でのアートに果たしうる役割があるとしたら、それはなんだと思いますか？

内田　おっしゃる通り、今の日本の若者たちは狭いところに閉じ込められていると思います。見聞が狭い。海外旅行にも行かないし、知っている社会システムも、自分の家庭と学校とクラブとバイト先くらいしかない。それらのシステムはどれも今は「株式会社的」に組織されている。トップダウンですべてが決定されて、トップのアジェンダに賛同する人間は重用されて、反対する人間は叩き出される。システムがやっていることの良否についてメンバーには判定する権利がない。システムの存否を決するのは「市場」である。

そういうルールで暮らしていたら、ものごとの適否を判断する基準が「コスパ」というせこいものになるのは仕方がないと思います。そのような貧しい「ものさし」の無効性を思い知るためには、手持ちの「ものさし」では考量できない現実と直面するしかない。自分の知らない国の、知らない時代の、未知の言語、未知の宗教、未知の美意識、未知の価値観、未知の生活文化……そういうものを想像的に追体験するしかない。それが文学の効果なんです。それによって、いま自分が閉じ込められている文化的な檻がどれほど狭く、息苦しいものなのか気づく。一陣の涼風が吹き込んできて、深く息ができるようになる経験、それは文学でも哲学でもそうだし、美術でも音楽でも、それがもたらす解放感、それが若い人には一番いま必要なんじゃないかな。

―― 内田さんは、平川克美さんとの対談本『沈黙する知性』のなかで村上春樹について、その想像力に着目して語っていましたが、そこで言われていることにとても共感を覚えました。個人的には3・11以降、具体的な解決策の提示ばかりが優先されて、想像的なものが劣位に置かれるようになったと感じています。そんななかで、山本さんはある種のユートピアを垣間見させていると思うのです。想像的なものの縮減のようなことを感じられたことはありますか?

内田　大災害があってたくさんの人が死ぬと、当然気持ちが暗くなります。国民的な規模で鬱状態になる。そういう時にはどうしても人々は「反省」したり、「懺悔」したりする。これまでの生き方を見直して、生き方を変えなければならないという、倫理的に緊張した言葉づかいをするようになる。でも、反省ってすごく体力と精神力が要るんですよ。だから、反省や懺悔を続けていると、次第に気持ちが暗くなって、笑顔が消えてゆく。

「正しいこと」を実践している人間が少しも楽しそうに見えないから。眉根にしわを寄せて、口を歪めて、「正しいこと」を語っている。それが「政治的に正しい運動」から人を遠ざけてしまう理由の一つなんじゃないかな。

イノベーションというのは、ニコニコ笑って上機嫌でいないと起きないんですよ。深刻な顔をして「この惨状を見てください」「ここから一歩一歩、石を積み上げるように再建するしかないんです」というのはまことにまともで、立派なことなんだけれど、そういうことばかり言っていると、次第に笑顔がなくなり、他人に対して非寛容になる。この苦しみを知らないで、五輪だ万博だカジノだと気楽なことを言っているやつは許せないというふうな攻撃性が抑制できなくなる。

３・11後の日本が衰微したのは、この二極化が関わっていると思います。一方に生真面目に反省しているせいで、しだいに不機嫌非寛容になっている人たちがおり、一方に何の反省もしないで、目先の銭金のことしか頭にない人たちがいる。そのどちらでもなく、もっと陽気で、ワイルドで、自由な生き方をする人がいるべきだと僕は思います。いろんな生き方が許容される社会じゃないと僕は息苦しい。機嫌がよいことが新しいものを生み出すためには絶対に必要なんです。

—— まさにいまＳＮＳでは安倍政権や人種差別、ジェンダーなどの問題について、良識ある人たちがみんながんばって正しいことを言っているんですけれど、みんなが風紀委員化しているというか、笑える感じがほとんどないんです。

内田 そうですね。「風紀委員的」というのは、その通りだと思います。パワハラやセクハラについても、言っていることはみんな正しいんだけど、次第に社会の雰囲気が非寛容になって、とげとげしくなって、ルールが増えて、管理が強化されてゆく。

—— 正しいことを言うことが、それこそ安倍のやってきた分断統治を補完している気さえします。

内田　いまの若い子たちが「正しいもの」に身体的な拒否反応を示すのは、「正しさが生命力を損なうことがある」ということを直感的に感じているからだと思います。「正しいこと」を実践している人間が少しも楽しそうに見えないから。眉根にしわを寄せて、口を歪めて、「正しいこと」を語っている。それが「政治的に正しい運動」から人を遠ざけてしまう理由の一つなんじゃないかな。

　山本太郎は生命力の強い人ですから、基本的に機嫌がいいでしょう。人を批判しない。もちろん国会ではきびしい言葉づかいをしているけれど、公開の討論会などで、対面的状況にあるときには、自分を罵倒したり、攻撃してくる人間に対しても攻撃的になることはない。「完膚なきまでに論破する」というような冷酷なこともしない。必ず、一度相手の話を受け止めて、相手の言いたいことのうち、一番大切なことを取り上げて、それに答えて、対話的なものにしようと努力している。そういう作業には少なからぬ体力と精神力が要るんです。でも、彼にはそれがある。芸能界デビューのときを見てもわかるように、彼は本質的には機嫌のいい男なんですよ。

（取材：小林拓音）

内田樹（うちだ・たつる）
神戸女学院大学名誉教授。専門はフランス現代思想、武道論、教育論など。神戸で武道と哲学のための学塾「凱風館」を主宰。著書に『ためらいの倫理学』（冬弓舎／角川文庫）、『私家版・ユダヤ文化論』（文春新書）、『日本辺境論』（新潮新書）、『サル化する世界』（文藝春秋）など多数。

INTERVIEW

(3)

KENJI UTSUNOMIYA

宇都宮健児

「人にやさしい政治」を実現するには？

「『消費税ゼロ』は貧困問題を考える上で重要な課題だ」。長年、「貧困と格差」の問題に取り組んできた宇都宮健児は、れいわ新選組の山本太郎の政策をこう評価する。とはいえ山本の活動には市民運動の広がりが足りないとも。それには市民の側に「主権者意識」を広げることが大切だと指摘。そのため圧倒的な市民パワーを背景に「人に優しい政治」を実践しているソウル市の政策に学んでほしいと期待を寄せる。

「れいわ旋風」とは何なのか？

——昨年は「れいわ旋風」が吹き荒れた1年でしたが、れいわ新選組についてどのような印象をお持ちでしたか？

宇都宮　確かにれいわ新選組代表の山本太郎さんが7月の参議院選挙で比例代表の候補者の中で最多の99万票を取るなどれいわ新選組の活躍には目を見張るものがありました。ただ私の印象ではれいわ新選組によって無党派層が掘り起こされたとは見ていません。それに保守層の票を集めたかというとそうでもない。むしろ立憲民主党や共産党の票を持っていったにすぎません。現実にれいわ新選組が得票した分だけ立憲民主党と共産党が頭打ちになっています。本当に「れいわ旋風」が起きていたのであれば投票率がもっと上がっていなければならない。つまり無党派層の掘り起こしができていたはずです。

——昨年9月かられいわ新選組の山本太郎さんによる全国ツアー「れいわが始まる」が北海道でスタートし、

九州、沖縄、東北、関東と全国を一巡しました。「誰も切り捨てられない世の中をつくる」をキャッチフレーズに、消費税廃止や反緊縮財政を訴える山本さんの訴えは多くの人の共感を得ています。宇都宮さんがおっしゃるように無党派層の掘り起こしができていないことが「れいわ旋風」の限界だとすればこれから何が必要なのでしょうか？

宇都宮　ひとことで言えば、山本さんの全国ツアーはあくまで「政治活動」だということです。全国各地で地に足の付いた市民運動をやっているかというとそうではない。ある意味、地方で人気投票をやっているようなものです。

　こうした市民運動の下支えとともに重要なのは地方議会に足場を作ることです。全国１７４１の都道府県議会議員数（２０１８年12月）は２６０９人で内訳は自民１２３４人、公明２０６人、共産１４９人、社民42人、国民・自由各６人、維新５人、立憲民主３人のほか諸派４４６人、無所属５１２人です。一方、全国の市区町村議員数（同）は2万９８３９人で内訳は公明２７２９人、共産２６１１人、自民２０４１人、社民２３９人、維新55人、国民45人、立憲民主34人のほか自由４人、諸派１１２３人、無所属2万９５８人です。この無所属議員の約８割は保守系ですから、全国どこも保守系議員が多数を占めていることになります。首長にも保守系が多いのは市区町村議員に支援を求め票固めをやってもらっているからです。日本では戦後75年間、自民党を中心とした政治が続いてきました。それはどの地域も保守系議員が圧倒的に多いからです。国会を見ているだけでは分かりません。足場となる地方議員をどれだけ押さえているのかが重要です。その点ではれいわ新選組はまだ地方議員がいません。都知事選に２度出馬した経験からして、これでは政権を取ることも政治を変えることも難しいでしょう。山本さんは「野党と手を組んで政権をひっくり返す」と言っていますが、いまの野党ではそれでも難しいのではないでしょうか。

安倍政権がやってきたこと

―― 山本太郎さんは人々の生活が地盤沈下し、景気回復につながる消費が上向かないのは、政府による間違った経済政策の結果だと批判しています。「２年でデフレを脱却する」と言い、２％のインフレ目標を掲げたアベノミクスは失敗ですね？

宇都宮　アベノミクスは第二次安倍内閣によって打ち出された一連の経済政策ですが、大胆な金融政策と機動的な財政政策、民間投資を喚起する成長戦略が「三本の矢」のはずでした。でも大胆な金融政策の中の２％のインフレ目標は実現できていませんし、成長戦略についても２０１９年10月～12月期の国内総生産（ＧＤＰ）は６・３％減でした。これは昨年10月の消費税増税の影響が大ですが、２％のインフレ目標と経済成長を掲げたアベノミクスの破綻は明らかです。さらに新型コロナウイルスの感染拡大でよりＧＤＰが低下するのは間違いありませんし、山本さんが提案している消費税ゼロや５％への減税がアベノミクス批判として現実味を帯びてくるかもしれませんね。

―― 90年代前半にバブルが崩壊し、90年代後半に金融危機が押し寄せ、終身雇用制と年功序列型賃金が見直され、正社員から派遣社員やパート社員など非正規雇用への切り替えが急速に進みました。一部の富裕層や大企業を除いて多くの日本人はドンドン貧しくなっているのではないでしょうか？

先進国でＧＤＰは上がっているのに賃金が下がっている国は日本しかありません。国内的にも非正規雇用が全労働者の４割近くとなっており、年収２００万円以下のワーキングプアは１０００万人を超えています。

宇都宮　２０１７年の日銀調査では「貯蓄ゼロ」世帯が20代で61％、30代で40・４％、40代で45・９％、50代で43％、60代で37・３％に上っています。２０１２年の民主党政権時代より大幅に低下しています。また、２０１６年の国民生活基礎調査では生活が苦しいと感じる一般世帯は56・５％、母子世帯では82・７％に上っています。しかも先進国でＧＤＰは上がっているのに賃金が下がっている国は日本しかありません。国内的にも非正規雇用が全労働者の４割近くとなっており、年収２００万円以下のワーキングプアは１０００万人を超えています。貯蓄もゼロで将来を考えることすらできない若者が増えているというのに、なぜ安倍政権の支持率がそれほど低下しないのか不思議ですね。

――　リーマンショックの影響も大ですね。

宇都宮　リーマンショックは２００８年９月に米国の大手投資銀行リーマンブラザーズの経営破綻に端を発して世界中に金融危機が広まったわけですが、それ以降、国内では企業が経費削減のため人件費の圧縮に走りました。この結果、派遣社員の契約解除や契約更新打ち切り、一般社員のリストラなどが深刻化し、ワーキングプアの拡大によって日本の相対的貧困率〔注１〕は16％、所得格差を示す指標のジニ係数は過去最大の０・５５３６を記録しました（２０１１年）。その後も正規雇用の非正規化は進む一方で、いまや日本人の６人に１人が貧困層となっています。背景には生活保護基準の大幅引き上げや消費税の増税、企業にとって有利な規制緩和や雇用改革といった安倍政権の政策が大きな影響を与えているのは間違いありません。

――　その一方で安倍政権は国家安全保障会議設置法と特定秘密保護法を制定し、集団的自衛権の行使を認める解釈改憲を強行するなど国家主義的な政策を押し進め、「戦争のできる国」をつくりあげようとしています。

〔注１〕相対的貧困率　世帯の所得がその国の等価可処分所得（世帯の可処分所得を世帯人数の平方根で割って算出）の中央値の半分に満たない状態のことを「相対的貧困」という。その国の文化・生活水準と比較して困窮した状態を意味する。日本の所得の中央値が年収２４５万円（２０１５年度）なので年収１２２・５万円以下が「貧困ライン」。日本の相対的貧困率（16・１）は先進国35ヶ国中、イスラエル、トルコ、米国などに次いで７位（２０１７年ＯＥＣＤ報告）。（土田）

こうした状況の中で本来ならワーキングプアの若者たちは、雇用を破壊し社会保障費を大幅に削減した安倍政権に対して「ノー」を言わなければならないはずです。でも実際にはそうはなっていません。

宇都宮　それとは裏腹に、将来に希望を持てなくなった若者の多くは、極右の政治家やネトウヨに煽られ、極端なナショナリズムや排外主義の方向へ向かう傾向があるのではないでしょうか。書店の店頭に並ぶ韓国を攻撃する「嫌韓本」を見てもそうですが、在日外国人に対するヘイトスピーチや周辺諸国との紛争に備えて軍事力を強化すべしといった威勢のいい主張が学生や貧困層の若者たちの共感を集めているようです。

２０１８年10月の韓国大法院判決で日本企業に対し元徴用工への賠償請求を命じる判決が出たとき、安倍政権は日韓請求権協定により「安全かつ最終的に解決している」「国際法に照らしてあり得ない判決だ」と批判し、新聞・テレビはこの政府見解を一方的に垂れ流しました。でも個人の損害賠償請求権が国家間の条約や協定によって消滅することはあり得ません。司法関係者なら常識です。過去において日本政府も最高裁もそれをきちんと認めています。なのにテレビや雑誌は政府の言いなりになって「韓国はおかしな国だ」という誤った言説を垂れ流しています。政治とメディアが共犯関係を結んでいるようです。

――　こうした政府の姿勢やマスコミ報道の根っこには韓国に対する差別意識があるのではないでしょうか。お昼のワイドショーを見ている人の中には韓国に行ったことも韓国人の知り合いもいないのに「韓国はけしからん」「韓国人って大嫌い」と口にする人がいます。政治とメディアのプロパガンダに踊らされているだけなのでしょうが、気持ちの悪さを感じます。

宇都宮　新型コロナウイルスの感染拡大でも「中国人、お断り！」を言い出す飲食店やタクシ

Former Japanese colonial Korean Government-General Office, at Gyeongbokgung, 1929

ーの運転手がいました。戦前の侵略戦争や植民地支配を総括せず、歴史に向き合おうとしない戦後の日本社会の醜い姿を見る思いがします。安倍政権はこうした偏狭なナショナリズムや排外主義を利用して国家主義的な政策を遂行し、貧困・格差を拡大させようとしています。

―― 安倍政権は新型コロナウイルス感染症対策と称して、新型インフルエンザ等対策特別措置法を改正して「緊急事態宣言」を発動しようとしています。まさにナオミ・クラインが『ショック・ドクトリン』で暴いた「惨事便乗型資本主義」を地で行く話ですね。永田町界隈に国家主義的な傾向と排外主義が蔓延しており息苦しい時代になりました。東京五輪の組織委は競技会場への旭日旗持ち込みに「オーケー」を出しましたが、まさに「日本は過去の歴史や戦争犯罪に対して反省してない」と世界中に宣言したようなものですね。

宇都宮 「戦争する国」に突き進むには国内のナショナリズムや排外主義をうまく利用することと、多くの若者を貧困にすることがコインの裏表のように必要なのです。経済格差を利用して貧困層から兵士をリクルートする「経済的徴兵制」は米国で既にはじまっています。

―― ２０１５年８月に山本太郎さんが国会で、奨学金の延滞者を対象にした防衛省のインターシップ制度について質問しています。中谷元防衛大臣（当時）は「検討していない」と否定しましたが、日本学生支援機構側の検討会議事録には「防衛省は2年コースをつくってもいいと言っている」という運営評議会委員の発言が記録されていました。防衛省が「経済的徴兵制」を念頭に置いているという疑念は拭えません。

宇都宮 米国では大学の学費を肩代わりする条件で貧困層の若者を兵士としてリクルートしていますが、日本でも自衛隊に入隊せざるをえない貧困層の若者を増やしておくために貧困・格差を助長する政策を推進しているのかも知れません。貧困・格差の拡大は実は戦争国家への道と歩調を合わせています。１９３０年代に農村恐慌によって窮乏した若者たちが軍国主義に走

Rebel troops in February 26 Incident.
1st Lt. Yoshitada Niu and his
company on February 26, 1936

り、軍部独裁政権を生み出し太平洋戦争へと突き進んだ歴史と似ています。

――1936年2月に起きた「二・二六事件」で反乱軍に加わった兵士のなかに姉や妹を身売りしなければならなかった貧困家庭の若者がたくさんいました。農村の窮状がナショナリズムを促し、日本を戦争へ導く結果になったともいえます。現在、安倍政権が仕掛ける貧困とナショナリズムの罠に多くの若者が絡め取られる危険があることを戦前の歴史は示していますね。

宇都宮　自分の将来に不安を感じている若者は多いはずです。非正規雇用で生活が不安定になり、医療費も満足に払えず、結婚もできない20代、30代の若者が増えています。なのに安倍政権は経済格差をさらに拡大する政策を取り続けています。どうしてそれが若者たちの怒りに火をつけないのか、内閣支持率がそれほど下がらないのか不思議です。理由は多々あると思いますが、ひとつには「いまよりもっと悪くなるのが怖い」という漠然とした不安感があるのではないでしょうか。

山本太郎が総理大臣になるには?

――例えば学生は就職の心配をしますが、「選挙で自民党が負けたら不況になって就職できなくなる」と思っている学生が多いのかもしれませんね。

宇都宮　学生の多くは9条改憲には反対でも、就職のことを考えると自民党に投票しようということになるのではないでしょうか。たとえ非正規雇用や派遣社員であっても「まったく職のない時代よりましだ」「昔に戻るのはいやだ」というのが本音ではないかと思います。安倍自

貧困・格差の拡大は実は戦争国家への道と歩調を合わせています。1930年代に農村恐慌によって窮乏した若者たちが軍国主義に走り、軍部独裁政権を生み出し太平洋戦争へと突き進んだ歴史と似ています。

民党は「悪夢のような民主党時代」などと自分たちを棚上げにした低劣な印象操作が得意ですから、バブル経済崩壊後のような不況に戻ることを恐れた人たちの支持を集めているのではないかと思います。とはいえ、いかに長期政権を実現したとはいえ、安倍首相は退陣後に歴史によって厳しく断罪されるのは間違いありません。

でも実際には、非正規雇用で働く若者たちの多くは日々の暮らしに汲々とし、既に未来を奪われてしまっています。そのうえ、このまま安倍政権の暴走を許してしまったら、集団的自衛権の行使に続いて、憲法９条改正、緊急事態条項の制定、「国防軍」創設など、戦前のように国家の暴走が取り返しのつかないところまで行ってしまうのではないかと心配です。安倍政権がもくろむ戦争国家への道ではなく、真に平和な社会をつくる道を歩むには、社会問題の根っこにある「貧困」を撲滅する市民運動を育て、そのなかに若い世代を巻き込んでいくことが大切です。山本さんのような政治家がもっと声を上げ、多くの人がこうした現状に目を向けるようになれば、安倍政権は一日で崩壊することでしょう。

――こうした政治・社会情勢を受けて、山本太郎さんは首相になると公言しています。

宇都宮　山本さんは次の衆議院選挙で候補者を１００人出すと言っていますね。でも、もし仮に「れいわ旋風」が起きて数十人の議員が誕生したとしても、議員内閣制ですからそれだけでは首相にはなれません。戦後、日本では１９９３年の細川政権と２００９年の民主党政権の２回、政権交替がありましたが、このときは「風が吹いた」と言われました。でも風はいつかやんでしまいます。風がやむとまた元通りの保守政権に戻りました。れいわ新選組は足腰を固めるため、この先、地方議会を変えていく努力を目的意識的にやっていく必要があります。

――今年２月の京都市長選挙では保守系の現職候補に国民民主、立憲民主、社民が相乗りしました。一方、れいわ新選組は充実した福祉政策を訴えた新人候補を共産とともに応援しました。野党共闘がかけ声だけに終わっているようで残念です。

宇都宮　地方の首長選挙ではこうした相乗り選挙がずっと続いています。れいわ新選組はこの先、こうした地方選挙と地方議会を変えていく努力をしなければ〝山本太郎首相〟の実現は難しいでしょう。

人にやさしい世の中をつくる

――山本太郎さんは２０１５年から年末に横浜の寿町や東京・山谷など関東近辺の炊き出しボランティアに行っています。国会議員になりたての頃に作家の雨宮処凛さんに生活保護の問題や労働問題、最低賃金の問題についてレクチャーを受けたのがきっかけだそうです。山本さんの貧困層や障害者、高齢者など社会的弱者に対する視点は「反貧困ネットワーク」にも相通ずるのでは？

宇都宮　私は２００８年のリーマンショックの前から「貧困と格差」こそが日本で一番最初に解決しなければならない問題だと考えるようになりました。いまや全労働者の４割近くが派遣社員や契約社員など非正規雇用です。その６割以上の１２６０万人が年収２００万円以下のワーキングプアです。日本の労働者の４人に１人がワーキングプアということになります。90年代以降、企業が国際競争力を高めるために人件費を大幅にカットしてきたことと、それをバックアップしてきた政府の規制緩和政策の結果、そうなりました。

文部科学省によると、全国の小中学生のうち、経済的に苦しい家庭を補助する就学支援制度の支給対象者も１５６万人を超え、過去最高となっています。その一方で、金融資産１００万ドル以上の富裕層が２０１８年には約１３０万人〔２０１８年版グローバルウエルス・レポート〕となっています。戦後の日本は「一億総中流」という言葉で言い表されるように極端な金持ちも極端な貧乏人もいない国といわれました。それがこの10数年間で厳しい格差社会へと変貌してしまいました。

——山本太郎さんは炊き出しを回るうちに「山谷にも若い人がいるんだ」と驚いたそうです。ワーキングプアの若者はいつホームレスになるか分かりません。山本さんは「自分だっていつか生活保護を利用するかもしれないし、ホームレスになるかもしれない」と思うようになったそうです。「年越しプロジェクト」を続けているのは、そうなったときに「人にやさしい世の中であってほしい」という願いからだと語っています。

宇都宮　生活保護を利用する権利は憲法25条で「すべての国民は、健康で文化的な最低限の生活を営む権利を有する」という生存権保障規定によって明文化されています。ところが、日本では生活保護を必要としている人たちのうち、実際に利用している人は2割程度です。生活保護の「捕捉率」は欧州各国の7、8割に比べて圧倒的に低い水準です。それは生活保護の財源のうち、4分の3は国の負担ですが、残る4分の1は地方自治体の負担になっており、地方自治体が生活保護費を削減しようと申請に来た人たちの法律的無知を利用して門前払いしているからです。実際、弁護士や司法書士を同行すればホームレスであっても申請できるケースがほとんどです。

生活保護の利用は国民の当然の権利です。安倍政権は生活保護の基準を大幅に引き上げ、生

〔注2〕ＭＭＴ（現代貨幣理論）自国通貨を自国の中央銀行が発行している国は過剰なインフレにならない限り国債をいくらでも発行して良いという理論。国は国債を発行して通貨を獲得し、公共事業や福祉・医療・教育などにつぎ込み経済を刺激することで雇用を生み出し、景気を上向かせることが可能になるという。米国の史上最年少下院議員アレクサンドリア・オカシオ＝コルテス氏が支持を表明したことで大きな話題になった。山本太郎はＭＭＴの立場から「消費税ゼロ」「反緊縮」を訴えている。（土田）

活に困った人たちが利用しづらい制度に改悪しています。制度を改悪する前にやるべきことは貧困の撲滅です。貧困が減少すれば生活保護にかかる費用も減少するのですから。人にやさしい世の中にしたいという思いは山本さんと同じですね。

―― 山本太郎さんは「ＭＭＴ（現代貨幣理論）」〔注２〕の考えに立ち、金融緩和による大胆な財政出動によって地盤沈下した人たちの生活を立て直し、完全雇用を実現するよう提案しています。ひと言で言えば、過度なインフレにならない限り、政府の借金を増やしても構わないという考えです。これまでの消費税増税は法人税の減税分の補填にすぎなかったとして、野党の共通公約を「消費税ゼロを目指し、まずは５％に」と訴えています。

宇都宮 「消費税廃止」は社会的弱者の立場に立った分かりやすくて訴求力のある政策だと思います。消費税はすべての所得階層に同率の税率が課せられるので、所得が低い人ほど負担が重くなります。民主党政権の最大の失敗は財政政策が貧困だったことです。「コンクリートから人へ」というスローガンで福祉充実政策をとったのは良かったのですが、財源の検討が足りませんでした。結局、野田首相が自公民で「税と社会福祉の一体改革」に乗ってしまい、消費税増税に賛成してしまいました。財政政策が準備不足だったため財務省にコントロールされたのです。

―― その点、山本さんは財源として法人税と所得税に注目しています。山本さんによると、法人税の税率は89年以前は40％を超えていたのが、現在は23・２％まで引き下げられています。所得税も最高税率が75年時点で75％だったのが、15年には45％まで引き下げられたうえ、累進性も低く抑えられてきました。さらに大企業への優遇税制を廃止すれば、この２つの税金改革で最大29兆円の財源を生み出せると試算しています。

生活保護を必要としている人たちのうち、実際に利用している人は２割程度です。欧州各国の７、８割に比べて圧倒的に低い水準です。それは、地方自治体が生活保護費を削減しようと、申請に来た人たちの法律的無知を利用して門前払いしているからです。

宇都宮　山本さんの提唱する「消費税ゼロ」は貧困問題を考える上で重要な問題提起だと思います。国会はもちろん、地方議会や市民運動の中でも、財源を含めてきちんと論議していくべきでしょう。

――宇都宮さんは２００７年10月に「反貧困ネットワーク」を結成しましたね？

宇都宮　非正規雇用の問題、生活保護の問題、そのうえ教育格差の問題があります。生活が苦しい貧困家庭の子どもは大学に進学することはそう簡単ではありません。入学金や学費が高いからです。大学に進学できないと、安定した仕事に就けないのでワーキングプアになる可能性が高くなります。奨学金をもらっても卒業後に返済が滞っている人が30万人を超えています。教育格差が新たな貧困の連鎖を生み出しているのです。

２００７年３月、東京・渋谷で「もうガマンできない！　広がる貧困――人間らしい生活と労働と保障を求める３・24東京集会」という集会を開催したところ、４００人以上の人たちが集まり、自分たちの状況について話してくれました。閉会後に「勇気をもって発言してくれた人たちの思いを大切にし、運動を継続していこう」と話し合い、反貧困ネットワークの結成にいたったのです。

――どのような人たちが集まったのですか？

宇都宮　職を転々とする非正規労働者やシングルマザー、障がい者、自己破産した多重債務者、生活に困っている高齢者など貧困に直面している人たちです。数年前までは普通の生活をしていたのに会社の倒産やリストラ、病気、事故などで退職せざるをえなくなり、ホームレスになった人も少なくありません。貯金ゼロの人が増えていることもあり、「リストラ即ホームレス」

といったケースは最早、珍しくはありません。

とはいえ世の中には貧困を「他人事」ととらえ、「努力しないからまともな仕事に就けないのだ」と誤った見方をする人が相変わらず多いようです。それだけに当事者が自ら貧困の実情を訴え、貧困問題を世に問うことはとても重要なことです。反貧困ネットワークでもまず当事者に声をあげてもらうことからはじめ、貧困に対する世間の誤解を解消していこうと考えました。現代の貧困問題は労働者派遣法の改悪による非正規雇用の急増と無関係ではありません。貧困問題は社会全体の問題です。個人に責任を押しつけるべきものではありません。

先進的なソウル市の政策

――　山本太郎さんは米国民主党のバーニー・サンダースや英国労働党のジェレミー・コービンと相通ずる「格差是正」や「反緊縮」を唱えている数少ない改革派の政治家の一人です。今後、社会的弱者や貧困を視野に入れた政策を遂行していくうえでアジアや日本で参考になる政治家はいますか？

宇都宮　日本では思いつきませんが、韓国にはいます。ソウル市長の朴元淳《パクウォンスン》さんです。都知事選挙に出馬するときに仲間たちと「希望のまち東京をつくる会」という団体をつくり、都政の監視と改革をめざす活動をはじめました。その活動のなかで朴さんがソウル市長として素晴らしい改革を実行していることを知りました。朴さんは元々は人権派の弁護士で、韓国を代表するＮＧＯ「参与連帯」〔注3〕の創設メンバーです。腐敗議員の落選運動で有名になり、「キャンドル革命」でも主導的な役割を果たしました。その後も市民運動のシンクタンク「希望製作

〔注3〕参与連帯　１９９４年に発足した市民運動団体。政府の横暴を監視し、財閥を規制し、市民参加型民主主義の基礎を固め、人間らしく生きる社会の実現をめざす運動を進めてきた。２０００年12月の総選挙では選挙違反や贈収賄など腐敗議員の落選運動を展開し、リストアップした候補者86人のうち7割近くを落選させた。李明博政権時代の２００８年には米国産牛肉の輸入再開に反対し、非暴力のキャンドルデモを主導した。朴槿恵大統領を退陣に追い込んだ「キャンドル革命」（２０１６年10月～２０１７年３月）でも重要な役割を果たした。（土田）

所」や「美しい財団」など市民団体を創設し、韓国市民運動のリーダーとして活動し、２００６年には韓国の民主主義の発展に貢献したとして″アジアのノーベル賞″といわれるマグサイサイ賞を受賞しています。

日本ではまったく報道されませんでしたが、２０１１年10月のソウル市長選挙（補選）で「市民が市長だ」「堂々と享受できる福祉」をスローガンに初当選しました。以来、①小中学校給食の完全無償化、②ソウル市立大学の授業料半額化、③非正規労働者の正規職化——という三大公約を着実に実行しています。ソウル市の人口は約９７０万人と東京より少ないですが、韓国の人口が約５１００万人ですから、その集中度からして東京・横浜・大阪を一つにしたくらいの大都市です。そのトップが「市民が市長だ」というスローガンを掲げたわけです。驚きですね。

——日本では考えられないことですね。国民主権の理念を自治体レベルで実現しようということですね。それに、ソウル市長は政府の閣議のメンバーです。２０１６年11月の閣議で朴さんは朴槿恵大統領の退陣を求めました。東京都知事と横浜・大阪市長が一緒になって安倍首相の退陣を求めたようなものです。安保法制やカジノ誘致問題で厳しく安倍政権を糾弾した山本太郎さんとよく似ています。

宇都宮　実は朴元淳さんは、保守派の李明博《イミョンバク》政権時代に市民運動に対する弾圧が続き、「民主化闘争の成果を根こそぎにされた」という思いから市長選挙に立候補したのです。同じ保守派で元ＫＣＩＡ（韓国中央情報部）幹部を重用し、政治スキャンダルで弾劾された朴槿恵《パククネ》大統領には当初から批判的でした。

——朴槿恵大統領の退陣を求め光化門前広場で１００万人キャンドル集会が開催されたとき、朴さんはデモの鎮圧に使われる警察の放水車への給水を拒否しました。会場近くに救急車を待機させるなど集会やデモ参加者の安全確保に務め、運動をバックアップしました。まさに大衆抗議行動と参加型民主主義の守護神です。

宇都宮　朴さんは参与連帯の事務局長のときに腐敗議員の落選運動を韓国全土に広げましたが、暴力団めいた連中から繰り返し脅迫を受けただけでなく、自宅に放火されたこともあります。でもひるむことなく運動を続けました。柔和な表情からは想像もできない「鉄の意志」を持った方です。相手が権力であっても「悪は悪」として糾弾の手を緩めることがなかったのでしょう。

――ソウル市長選挙での朴元淳さんの公約について詳しく教えてください。

宇都宮　まず、給食の無償化ですが、これは貧しい家庭の児童生徒だけを対象にするのではなく、すべての児童生徒を対象にして行われました。前者を「選別的福祉」、後者を「普遍的福祉」といいます。「選別的福祉」だと児童生徒の間で分断と差別が生まれるので「普遍的福祉」を実施することにしたそうです。しかもソウル市の学校給食は無償化というだけでなく、オーガニック食材を使っています。市が有機農家を支援するために提携しているのです。この無償オーガニック給食は既に小中学校と高校の一部でも実施されており、２０２１年までに全高校に拡大されます。そうなると、ソウル市内の児童生徒約90万人が毎日、栄養価の高いオーガニックの給食を食べることになります。

――文部省によると、日本で学校給食の無償化を小中学校で実施している自治体は埼玉県の滑川町、小鹿野町、神川町など、全国１７４０自治体のうち76自治体（２０１７年度）あるそうですが、１９５４年に施行された学校給食法では「学校給食費は保護者負担」と定められておりネックになっているようです。学校給食

世の中には貧困を「他人事」ととらえ、「努力しないからまともな仕事に就けないのだ」と誤った見方をする人が相変わらず多いようです。貧困問題は社会全体の問題です。個人に責任を押しつけるべきものではありません。

法の改正が必要かもしれませんね。

宇都宮　しかもソウル市は給食を小中高校だけでなく、「公共給食」という名前で、保育園や学童保育など学校以外の児童施設にも拡大しています。もちろん、無償でオーガニック食材を使っています。この点でもソウル市の政策は先進的です。

――「公共給食」が保育園や学童保育の現場に広がっているのなら、行政が安心安全な食材を使って、連日、無償で「子ども食堂」を開いているようなものですね。ＮＰＯや地域ボランティアに運営が任されている日本とは大違いですね。次に、非正規労働の正規職化という公約が気になりますね？

宇都宮　「非正規職の正規職化」は朴さんの労働政策として最も重要な公約でした。というのも民間部門だけでなく公共部門においても、経費節減と効率化を理由に非正規職化、民間委託、外注化が急速に広がっていたからです。その結果、公共サービスの質の低下や労働条件の劣悪化が進み、社会全般の問題解決の糸口として、まず公共部門での正規職化が必要だと判断したのです。朴市長は青年ユニオンの活動家を労働補佐官に任命し、ソウル市役所で働く労働者の実態調査を行い、２０１２～２０１３年に直接雇用の非正規職労働者１３６９人を正規職に無期転換しました。さらに公務員との格差を解消するため無期転換した労働者にも勤続年数に応じた号俸制を適用し、福利厚生も充実して「公務職」と名前を付けました。続いて２０１３年～２０１７年の５年間でソウル市の業務委託事業で働く間接雇用の労働者５９２７人を直接雇用の正規職に無期転換しました。地下鉄の清掃や警備、施設管理、駐車場整理、運転、電話交換などの部門の労働者です。ソウル市の直接雇用になったことで労働者の賃金は上がりましたが、朴市長によるとそれまで派遣会社に払っていた費用がかからなくなったので財政負担は減少したとのことです。

――非正規労働者の正規職転換は労働者の意識変革にもつながりそうですね？

宇都宮　例えば、清掃労働者がソウル市の直接雇用になったことで誰かの指示で働くのではなくて自発的に働く人が増えたそうです。ソウル市ではほかにも、「アルバイト青年権利章典」（２０１３年）や「生活賃金条例」（２０１５年）、「感情労働従事者の権利条例」（２０１６年）の制定など労働者を保護し、その権利を守るための政策をたくさん実施しています。日本では考えられないことです。

「アルバイト青年権利章典」は、韓国で社会問題化しているブラックバイトからアルバイトの若者を保護するためのものです。職場で差別や暴言、暴行、性的嫌がらせを受けることなく、正当な賃金と待遇の下で、快適で安心な労働環境の中で働けるように使用者とソウル市の責務を規定しています。「生活賃金」というのは自治体などの低賃金労働者を対象に、最低賃金を２〜３割高くした賃金のことです。これは行政セクターだけでなく民間セクターにも広がっています。若者の就職活動を支援するため毎月５万円を半年間支給する「青年手当」という制度（２０１５年）もあります。面白いのは「感情労働従事者の権利保護条例」です。「感情労働従事者」というのは、飲食店やスーパーの店員、客室乗務員、化粧品などの販売促進員、コールセンター担当員といった、顧客対応のうえで自分の感情を抑えて働かなければならない労働者のことです。近年、韓国でも暴言、暴行、無理な要求、性的嫌がらせなど客からの悪質クレーム問題が深刻化しています。

――２０１４年にニューヨークの空港で、大韓航空の女性副社長がマカダミアナッツの提供の仕方にクレームを付け、客室乗務員に「飛行機から降りろ」と暴言を吐いて旅客機を搭乗ゲートに引き返させた「大韓航空ナッツ回航事件」は有名ですね。

宇都宮　条例では感情労働者を保護するため相談や治療の支援や刑事告発・損害賠償請求など必要な法的措置をとることを義務付けています。この結果、翌２０１７年には悪質クレームが95％減少したそうです。

さらに２０１５年からは、訪ねていく「洞住民センター（チャットン）」という取り組みをはじめました。「洞《トン》」は日本の「町丁・街区」に相当する人口数万人の行政区画のことです。洞ごとに福祉担当者６～７人と看護師を配置し、65歳以上の高齢者や生活保護受給者に該当する人たちの自宅を訪問する制度です。

実は２０１２年にソウル市内で60歳の母親と30代の娘が生活苦から自殺する事件がありました。これを受けてソウル市は「福祉安全政策が行き届かない死角地域を完全に解消する」と宣言し、この〝出前〟福祉制度をつくりました。普通、行政は生活困窮者らが来るのを待っているものなのですが、ソウル市では反対に行政が困っている人の家へ足を運ぶことにしたのです。コペルニクス的転換ですね。その結果、生活保護を受ける権利のある人のうち実際に生活保護を利用している人の割合（捕捉率）が２割から６割にまで上昇したそうです。日本では生活保護利用者が約２１４万人（２０１８年）ですが、捕捉率は２～３割といわれていますので、７～８割は漏れ落ちているわけです。ソウル市の６割という捕捉率は画期的な数字です。

――日本では「パチンコに使って遊んでいる」「仕事をせずに怠けているだけだ」などと生活保護利用者を非難し、ごく一握りの不正受給者のことばかりを問題にする風潮があります。格段の差ですね。

宇都宮　社会保障は憲法で守られた国民の権利です。１９８７年の民主化闘争で市民が血を流して民主主義を勝ち取った韓国ですから、民主主義を尊重し、自分たちが主権者であるという意識が高いのだと思います。ソウル市民にとって行政は「手続きに行く場所」から「困ったら行く場所」に変わりました。生活保護を受ける権利のある人を門前払いする傾向のある日本の行政は、ソウル市の「堂々と享受できる福祉」を実践しているソウル市を見習うべきです。たったひとり首長が変わっただけで社会は大きく変わります。山本さんを含め多くの政治家がソウル市の政策を学び、「人にやさしい世の中」づくりを進めてほしいですね。

反貧困に取り組む理由

――　宇都宮さんがお持ちの「貧困と格差」に対する視点は山本太郎さんと相通じるものを感じます。おふたりに共通しているのは「人に優しい社会」をつくることでしょうか。宇都宮さんが貧困問題に関心を持つようになられたいきさつを教えてください。

宇都宮　私の実家は大分県の国東半島に入植した開拓農家です。傷痍軍人だった父が戦争で受けた傷をかばいながら農地を切り開いている姿を見ながら育ちました。大学では生活費が一番安くて済む学生寮に入りました。このときに読んだ本のなかに想像を絶するような貧困の実態が描かれていました。それは『わたしゃそれでも生きてきた――部落からの告発』（部落問題研究所出版部）と『小さな胸は燃えている――産炭地児童の生活記録集』（文理書院）の2冊です。それまで私は大学を卒業したら官僚か大企業に入って両親を楽させてやろうと漠然と考えてい

ソウル市は〝出前〟福祉制度をつくりました。普通、行政は生活困窮者らが来るのを待っているものなのですが、ソウル市では反対に行政が困っている人の家へ足を運ぶことにしたのです。コペルニクス的転換ですね。

ましたが、貧しい境遇のため学校にも行けなかった被差別部落の女性たちや炭鉱で育った少年たちのすさんだ生活を初めて知って大きな衝撃を受けました。社会には自分たちの責任ではなく、生まれ育った環境や「部落」という歴史的な差別によって苦しんでいる人たちがたくさんいるんですね。一年先輩に弁護士をめざしている人がいて「やりたい事件を自由に選べるし、たまには人助けもできる」と言われたことがあります。「社会的弱者の手助けになるのならやりがいがあるな」と思い、弁護士をめざして勉強をはじめました。

　大学四年生のときに司法試験に合格したので、大学を中退し司法修習所に入りました。その前に「弁護士になるのだから社会の現実を見ておこう」と思い立ち、東京・山谷の簡易宿泊所で寝泊まりし土木作業の仕事を体験したんです。山谷で一緒に生活した人たちは東北地方の農村や漁村から出稼ぎに来ていた人が多く、肉体労働で稼いだお金を田舎の家族に仕送りしていました。生活に困ると高利貸しでお金を借りる人もいました。弁護士になってからサラ金関係の事件を長年やってきたことに因縁めいたものを感じます。いつの時代もサラ金に手を出すのは貧困層や低所得層の人たちです。不安定雇用もあり、いくらまじめに働いても病気やけが、失業などで再び借金に走ってしまう人たちが１９９０年代以降、急速に増え始めました。結局、貧困問題を解決しない限り、サラ金や多重債務の問題は根本的に解決しないということを痛感し、反貧困への取り組みを加速させてきました。

変わり者が多い社会ほどよい社会である

――韓国では１９８７年に民衆パワーで軍事政権を倒し、民主化を勝ち取って以来、市民の連帯意識や民主主義への思いが日本よりはるかに強く感じます。その典型が朴槿恵大統領を退陣に追い込んだ市民運動の「キャンドル革命」ではないでしょうか？

宇都宮　キャンドルを持った市民の集会が最初に行われたのは、検察が大統領府首席補佐官の自宅に家宅捜索に入った２０１６年10月29日です。これが朴大統領の知人の実業家による国政介入問題「崔順実《チェスンシル》ゲート事件」のはじまりです。それから翌２０１７年３月10日に憲法裁判所が大統領の罷免を宣告した翌11日まで、毎週土曜日に20回の集会が行われ、全国70都市で約１６５０万人がデモ行進に参加しました。韓国国民の３人に１人が参加したことになります。韓国の国会で朴大統領に対する弾劾訴追案が可決されたのは２０１６年12月９日ですが、その前の12月３日の集会が最も市民の参加が多く、ソウル市の光化門前広場で１７０万人、釜山で20万人、光州市で15万人など全国70都市で２３２万人が参加しています。マスコミの調査では、この集会にはリベラル派だけでなく、中道や保守層も多数参加していたとのことです。

――民衆パワーが国会や検察を動かし、大統領罷免を可能にしたわけですね。しかも集会は労組や政党の主導で行われたのではなく、未組織の市民・大衆の自発的な参加によるものでした。ある意味、自然発生的でアナーキーな大抗議運動ですね。

宇都宮　キャンドル革命では社会運動の経験のない人や一度も集会に参加したことのない人たちが大多数でした。親子連れや青少年の参加も多く、朴市長は子どもや女性が安心して参加できるようにと、安全要員を配置し、地下鉄の終電の時刻を延長し、仮設トイレを設置するなどきめの細かい対策をとりました。

――２０１４年に修学旅行の高校生ら３００人以上が死亡した「セウォル号沈没事故」の遺族たちも、ソウル市の光化門前広場で3年以上にわたって座り込みができたのは朴市長のサポートのお陰だと言っているのを聞いたことがあります。保守系団体が遺族と支援者らのテントを放置したとして朴市長を職務放棄で告発したことがありましたが、朴さんは「遺族の悲しみを思えば何が問題なのか、逮捕するなら私を逮捕しろ」と反論しました。民主的な運動を守ろうと体を張って闘う姿は多くの市民の共感を集めました。

宇都宮　朴さんは雑誌『世界』（２０１７年8月号）の寄稿でキャンドル革命について「広場では地域や階層、年齢層を網羅する多様な市民の出現が見られた。実に偉大な『市民』の誕生だった」と書いています。キャンドル革命に参加した「偉大な市民」を守ることが民主主義を守ることであり、市長である自分の使命だと理解していたのでしょう。

――朴さんはキャンドル革命について「すべての権力は国民より発する」という憲法精神を証明した世界的事件だったとも語っています。自らを〝立法府の長〟と勘違いし、数々の虚偽発言や野党議員に対する誹謗中傷などで国会と国民を愚弄し続ける安倍晋三首相とは人格も知性も雲泥の差がありますね。

宇都宮　安倍首相は憲法が権力者の暴走を食い止めるためにあることを理解していないし、理解しようとはしません。安倍政権は生活保護や医療、年金、介護などの社会保障費を削って防衛予算を増やしています。自民党がつくった憲法改正草案では「天皇を戴く国家」という新しい国家像を打ち出し、「戦争しない国」から「戦争する国」へと舵を切ろうとしています。

――日本国憲法では天皇は「象徴」として実質的な権力を持たず、政治的な影響力を与えてはならない存在になったはずです。「天皇を戴く国家」というのは天皇を国のトップに据えることを意味しています。明らかに憲法違反であり、陸海軍を指揮監督する統帥権を「天皇大権」と定めた大日本帝国憲法を思い起こさせる危

Emperor Hirohito and General MacArthur, at their first meeting, at the U.S. Embassy, Tokyo, 27 September, 1945

険な発想です。

宇都宮　戦後、「象徴」となった天皇ですが、実は戦後史の中で大きな影響を与えています。沖縄に米軍基地が集中している問題とも絡むのですが、憲法施行後の１９４７年9月に米国による沖縄の軍事占領に関して「アメリカによる琉球諸島の軍事占領の継続を望む」と天皇がマッカーサー連合国軍最高司令官に見解を伝えています。米国の公文書館に残されたメモには、天皇は「アメリカによる沖縄占領は日米両方にとってよいことで、共産主義勢力の影響を懸念する日本国民の賛同も得られる」と書かれています。天皇の「沖縄メッセージ」は、沖縄が「本土」復帰後も米軍の支配下にあり、74％の米軍基地が集中するという「沖縄差別の構造」につながっています。天皇の「沖縄メッセージ」は憲法違反の行為と言わざるをえません。

――現在、安倍政権が沖縄の民意を無視して強行している「辺野古新基地建設」も「沖縄差別の構造」の中に位置付けられます。安保法制も憲法違反でしたが、辺野古新基地建設も違憲行為の延長上にあるとすれば、安倍政権は頭から腐りきった〝違憲内閣〟そのものです。森友・加計学園問題や「桜を見る会」の問題にしても、首相と昭恵夫人案件の〝犯罪行為〟ですから、韓国なら安倍夫婦の弾劾を叫んで１００万人級の集会やデモが起きてもおかしくありません。

宇都宮　日本では民主主義に対する意識も主権者意識も希薄なのでしょう。それに、日本の市民運動の質の問題もあります。まだまだリベラル派の市民が中心ですし、無党派や未組織の市民、中道や保守系の市民の参加が得られていません。だから政権を倒すほどの大きな運動にはならないのです。韓国の市民運動に学ぶことで運動の裾野を広げていくことが日本の市民運動の今後の課題です。

天皇の「沖縄メッセージ」は、沖縄が「本土」復帰後も米軍の支配下にあり、74％の米軍基地が集中するという「沖縄差別の構造」につながっています。天皇の「沖縄メッセージ」は憲法違反の行為と言わざるをえません。

――山本太郎さんはよく「自分はデモから生まれた政治家だ」とおっしゃいます。２０１１年に東京・高円寺での「原発やめろデモ！」に参加していなければ国会議員にはなっていなかったそうです。れいわ新選組も昨年７月の参議院選挙ではまったくテレビの力を借りずに２００万票を集め、２人の国会議員が誕生しました。現状を変えたいという草の根の市民の力を感じました。

宇都宮　もう一度、原点に立ち返って市民運動を組織し直すことが大切です。さらにそれをどうやって若い世代にバトンタッチしていくのかという課題もあります。全国どこの護憲の会や戦争反対の会に行っても高齢者ばかりです。若い人たちが参加できる運動をどのように組み立てていくのかが今問われています。

――「すべての権力は国民から発する」という朴元淳さんの言葉は、改めて「国民こそが主権者である」という「主権者意識」の大切さを思い起こさせてくれますね。

宇都宮　主権者は天皇でも首相でもありません。われわれ市民こそが主権者であり、民主主義社会の主人公なのです。

――日本でそんなことを口にすると「選挙で投票すればいいんだ」と叱られそうです。「青臭い」と。日本のマスメディアは間接民主主義を金科玉条のようにとらえ、朴さんの政治思想の根底にある参加型民主主義を「危険視」する傾向にあります。権力に飼い殺しにされ、「右へならえ」とばかりに上司に忖度する人がメディア内部に増えた結果です。

宇都宮　朴さんは自著の中で「自分の利益ばかりを考えるのではなく、社会と共同体のために活動する人たちはどこの社会でも『変わり者』である。そうした変わり者が多い社会ほどよい社会である」と書いています。私は２度も弁護士事務所をクビになったことがありますが、そのお陰で現在の道が開けました。

――山本太郎さんも自著で「世界を変えるのは、いつの時代も『空気を読まないバカ』である」と書いています。「空気を読まないバカ」と「変わり者」が増えれば増えるほど、民主主義の質が向上することでしょう。

宇都宮　もっともっとまともな政治や社会を未来世代に伝えていきたいものです。

（取材・写真：土田修）

宇都宮健児
（うつのみや・けんじ）
１９４６年愛媛県生まれ、東京大学法学部中退。「反貧困ネットワーク」代表世話人、弁護士。多重債務や消費者金融問題の専門家で２０１２年12月と２０１４年2月に都知事選に出馬し、いずれも次点で落選。著書に『天皇制ってなんだろう？――あなたと考えたい民主主義からみた天皇制』（平凡社）、『「悪」と闘う』（朝日新書）、『韓国市民運動に学ぶ――政権を交代させた強力な市民運動』（花伝社）など。

INTERVIEW

(4)

SHINJI MIYADAI

宮台真司

社会がつまらないんじゃない、お前がつまらないんだ！

意外なことに、山本太郎は支持しているのだという。けれどもそれは、彼が弱者を救ったり、人々に幸せをもたらしてくれたりするだろうからではまったくない。むしろ日本はもっと、どんどん劣化すればいいとさえこの社会学者は語る。その瞳にいまの日本はどのように映っているのか？　権力、宗教、性愛、教育、映画など、政治からサブカルチャーまでさまざまな領野で鋭い分析をつづけてきた宮台真司、そのラディカリズムの核心にせまる。

――山本太郎についてどう思っていますか？

宮台　基本的には賛同。彼にシンクロしています。でも、彼の政治的な活動に短中期的に実りがあるだろうという意味ではない。むしろ実りはないでしょう。ではどこにシンクロするのか。彼がやっているのは種を蒔くこと。一部の人に気づきを与える。だから賛同します。

いまは不安の時代。だからポピュリズムが席巻する。ポピュリズムは感情の政治です。感情のフックで人々を釣る。彼になびく人々はフックで釣られた人が多い。トランプや安倍晋三になびく人々と同じです。

東浩紀が言うように、そこに希望を見出せば世界は終ります。２００９年に鳩山内閣支持率が８割を越えたのを思い出すべきです。東とのトークイベントで繰り返した僕の公式見解は「感情の政治には感情の政治で抗わないとマクロを乗っとられるから、安倍がポピュリズムなら、対抗勢力がポピュリズムなのも当然だ」というものです。

でも本音は別。東が正しいのです。僕も本当は「感情の政治というプラットフォーム上での闘いで誰が勝とうが持続可能性はない。感情の政治での勝利は気休めに過ぎない。別のフックにやられれば天下は一瞬で終る。気休めで夢を見る人々は頓馬だ」と思っています。

20歳代の僕は哲学者・廣松渉から影響を受けました。28歳で書いた『権力の予期理論』第3章は彼のアドバイスで書かれました。信じられないことに草稿を徹底的に読み込んでくれた。彼に心酔したのは高3。ブント（共産主義者同盟）の思想家として惚れ込んだのです。

テックで「古き良きアメリカ」の回復をめざす新反動主義の一角に、投資家ピーター・ティールから哲学者ニック・ランドらに継承された加速主義がある。廣松の思考は加速主義に似ます。正確にはローザ・ルクセンブルグに発するブント思想を加速主義がなぞったわけです。

彼女の思考は戦間期の欧州マルクス主義者の典型で、社会民主主義的な——最近なら日米の民主党的な——政策が、資本主義を延命させると見ます。弥縫策《びほうさく》は根源的矛盾を覆い隠すので、加速させた資本主義の矛盾の頂点で、革命的主体形成を成功させようと提唱しました。

加速主義の思考も似ます。市場と行政からなるシステムが、相互扶助的な共同体を空洞化させる。システムは個人の損得だけからなるから、成員から利他・貢献性が消える。すると民主政は機能しなくなる。民主政の条件はルソーが言うように成員の利他・貢献性だからです。だから、民主政を前提にした「制度による社会変革」には害しかない。可能性のないものに希望を抱かせる民主主義者は敵なのだと。「テックによる社会変革」だけが希望。テック（tech）とは、人から負担を免除する技術（technique）一般ではなく、科学技術（technology）のこと。

政治学者が勧める民主政も害悪だし、経済学者が勧める市場競争も害悪だ。市場独占がもたらすユニバーサルなテック・プラットフォームだけが、「制度による社会変革」を「テックによる社会変革」に置き換え得る。プラットフォーマーが卓越者として社会を導くのだとします。

ブントにとっては、社会民主主義者の「理想」は人に痛み止めしか与えない。同じく加速主義者にとっても、民主主義者や経済的自由主義者の「理想」は痛み止めにしかならない。「理想」は単なる痛み止め。「痛みを与える現実」をむしろ変えない方向に機能するのです。

——「理想」そのものには共感できるということですか？

Portrait of Rosa Luxemburg, between circa 1895 and circa 1905

既成政党がアンチリベラルを主張していようがリベラルを主張していようが、基本は既得権へのしがみつきで大差ない。両者を等価に考えられる感受性をどれだけ拡げられるか。その点で山本太郎の動きは非常に大きな意味を持つ。

宮台　共感しないから加速主義に一部賛同します。先の「理想」は「人が幸せになればいい」と考えるけど、どう幸せになるかが問題です。組合活動で労働分配率が上がる、再配分政策で貧困層がなくなる、そうすれば人々は不満を持たなくなって幸せになる――あり得ません。

「社会が良くなれば人は幸せになる」とするのが左翼で、人を規定可能な存在と見做す主知主義の発想です。再配分を唱えるのが左じゃない。現に北一輝や石原莞爾は資本主義を全否定するけど、法華経に帰依する右翼で「社会がよくなるだけでは人は幸せになれない」とします。

「人は規定不能な存在で、突拍子もないことを端的に意志する」と考える主意主義者が右翼です。その証拠に「苦痛がなければ幸せどころか、苦難に満ちた人生こそ幸せだ」という言葉の意味が皆さんに現に伝わるはず。山本太郎が主意主義者だから僕はシンクロするのです。

彼との最初の出会いは２０１１年。僕が「原発都民投票条例の制定を求める住民直接請求」の請求代表人をしたときのこと。彼も直接請求の運動に参加してくれた。有権者５％の必要署名数を達成して条例案を上程しました。都議会で否決されたけど、１００％想定済みだった。

ところが運動していた連中ががっかりしている。何の勘違いだと驚いた。都議会を通る可能性は元々ゼロ。議会を通ると思って運動している時点でクズです。それが僕の発想です。ではなぜ運動をしたのか。間違った枠組みの中にいる事実をできるだけ広く知らしめるためです。最初は直接請求＝条例上程さえできないと思われました。上程期限の一ヶ月前でも無理だとされた。でも有権者都民の５％を優に超える数が、最後は間違いに気づきました。原発の間違いか。違う。「引き受けて考える」のではない「任せてブーたれる」枠組みの間違いです。最後の一ヶ月で成功に漕ぎ着けられたのは方針転換したからです。僕は「脱原発条例だと思わせるのをやめろ」と、ずっと思っていたことを話した。「むしろ原発推進側の人が自らの主張に妥当な根拠を与えて確信を持つための条例であることを、原発推進側に訴えよ」と。

僕が街頭演説に立った所では「原発推進側だけど」と断りながら大勢が署名しました。原発が誤りかは本当は分からない。例えば人類誕生まで6度の大絶滅が生態学的ニッチを通じて進化の大爆発をもたらしました。多くは銀河や暗黒星雲との衝突による超新星爆発が理由でした。

星間ガスの集中で多数の巨星が誕生する。巨星は寿命が短く、次々超新星爆発する。そこから放射線ビームが地球に届き、大気圏の雲核形成を促す。地球は雲に覆われ、長期間の寒冷化を招く。その結果、大絶滅が生じた。どうにもならない宇宙の理由による大絶滅です。

他の類人猿とヒト属が別れてから3度の脳の爆発的拡大が生じたけど、どれも高濃度放射線マグマの噴出に関連します。大絶滅の引き替えに生じた大規模変異です。クリスチャンとして言うと「神の似姿に過ぎない人間には、絶対の善悪は分からない」。これを原罪と言います。

だから僕は運動の中で言いました。推進派も反対派も「不完全すぎる情報」と「分断された立場性」を元にポジション取りをする。それでは単なる信仰に過ぎない。これは、住民投票に先立つ熟議を通じて、完全情報化と分断修復を目指す運動だと。原発の合理性とは別の問題です。

原発推進の立場なら、原発や原発産業や原発行政のメカニズムを徹底理解した上で「それで構わない」と確信してほしい。原発反対でも同じ。いろんなオルタナティブなメカニズムがあるからです。メッセージは山本太郎にも伝わっているはず。僕の横にいたからです。

結論を確かめると、短中期的に社会が良くなろうが悪くなろうが重要ではない。子々孫々の代に良き社会が持続するかが重要です。それには人々のメンタリティや世界観が変わる必要がある。個人の損得を越え、正しさや愛にコミットする構えにならなければなりません。

　それには気づきが必要です。でも気づきは放っておいても生じない。気づきを与える人が必要です。それが江戸アケミであったり山本太郎であったりする。ちなみにアケミは１９８０年代に活動した「じゃがたら」のカリスマ的リーダー。最近再結成されて僕も関わっています。

　さて同じ野党でも、民主党の成れの果てである二つの政党はダメ。現実に彼らに投票するのは構わない。でもなぜダメかを理解しておくべきだ。これらは労働組合政党です。労働組合は労働エリート集団です。だから経済団体と利害が同じ。原発への曖昧な態度が象徴的でした。

　米国の民主党もそう。既成政党がアンチリベラルを主張していようがリベラルを主張していようが、基本は既得権へのしがみつきで大差ない。両者を等価に考えられる感受性をどれだけ拡げられるか。その点で山本太郎の動きは非常に大きな意味を持つと思うわけです。

既存体制は放っておいてもダメになる

――具体的には山本太郎のどういうところですか？　彼を支持している人の多くは、彼が弱者を救ってくれるのではないかと期待しているのではないかと思います。宮台さんはそういう考えではないですよね。

宮台　はい。確かに弱者は救われるべきです。でも勝ち組エリートとされる人々、嘘や改竄や隠蔽が常習の政治家や官僚たち。彼らも救わなければならない。彼らも犠牲者だからです。現に強力な劣等感を植えつけられています。いまの日本人は多くが劣等感のとりこです。

安倍も官邸官僚もウヨ豚も劣等感のとりこです。劣等感は不安をもたらすから、不安を埋め合わせるための無意味な反復行動を伴います。それが「言葉の自動機械・法の奴隷・損得マシン」という神経症的な症状です。これはフロイト派の精神病理学の基本テーゼです。

東大一家に生まれた成蹊大卒の安倍の劣等感は有名なのでスキップします。官邸官僚の劣等感とは何か。日本では上級国家公務員に採用されたときの入庁順位が一生ついてまわる。入庁順位3番以降は次官になれない。同じ財務省入省でも2位と10位とでは意味が違いすぎるのです。

3位以下は劣等感を抱きがち。そんな劣等感厨を拾い上げて官邸官僚に登用するのが菅義偉官房長官。次官人事を内閣人事局に握らせたのもそのため。劣位から取り立てられた劣等感厨はクソのついたケツでも舐める。責めても仕方ない。日本の「エリート」は大抵そんなもの。

2位と1位に実力差がある場合も同じ。検察の黒川弘務と林真琴がそう。法務省は例外で、トップ役人は次官でなく検事総長。黒川は官房長と次官を7年5ヶ月も務めたが、政治家絡みの多くの事件を揉み消した功労賞とされ、挙句は林を飛び越えて検事総長になろうとしている。

人々は安倍や黒川を悪人視しますが、問題を軽く見過ぎです。広汎な人材劣化はコロナ新型肺炎COVID19の状況に似ます。疫学専門家の大半は集団免疫獲得まで終息しないと見る。感染者の過半が無症状でウィルスを放散、潜伏期間も長く、水際対策ができないからです。

感情の劣化も似ます。いまでこそ人々が広汎な人材劣化を実感するようになったけど、途中の過程が緩慢だから、長い間気づけなかった。茹でガエルです。新型肺炎と同じで、臨界点越え（オーバーシュート）で初めて重大さに気づく。そこから先は長期の終息戦略が不可欠になります。

安倍や黒川、菅義偉、そして今井尚哉・北村滋・和泉洋人・長谷川榮一・佐伯耕三ら官邸官僚は、諸悪の根源に見えて、こうした劣化した人材に事欠かない裾野の広さや人材登用システム、あるいは彼らに右へ倣えをする与党議員らを選ぶ国民だらけであることが原因です。

同種の人材は野党にも広く分布します。官邸に重用されるケツナメ官僚には、民主党与党時代に民主党政治家の下に出向した者も多い。自公政権に戻って「将来を失った」所を、ケツナメを条件に官邸が釣り上げた。山口敬之の逮捕状を握りつぶした中村格警察庁次長もそう。

与党野党の敵味方図式で問題を理解しがちなリベラルの勘違いが、まだある。リベラルは「境界線問題」ゆえに正当性調達が難しいこと。例えば貧困者は他の国にもいる。なぜ国内の貧困者だけ救うのか。リベラル思想は人を平等に扱えとする普遍主義のはず。説明がつかない。

リベラルは平等を主張するけど、その平等には必ず一定の範囲がある。その境界線はどう正当化されるのか。正当化は不可能です。結局は国家内の平等に留まり、外を切り捨てる。米国のネオリベや新反動主義者はそれを理由に再配分政策を拒む。理屈として間違っていない。

弱者に手厚くしたいと思っているビル・ゲイツやウォーレン・バフェットは合衆国に税金を払いたくない。クソな既存体制とそこに甘える者を支えるために自分の金が取られるのはイヤ。財産の9割をビル&メリンダ財団に寄付した投資家バフェットの在り方は正当です。

米国内で累進課税率や再配分率や労働分配率の上昇を主張しても普遍主義にもとります。ただし暫定条件がつく。累進率を最高99%に上げると主張するバーニー・サンダース。そこまで累進率を上げれば金持ちは国外に逃げる。それでも構わないという金持ちだけが残る。

どうせダメになるなら何でもありか？　それが安倍政権。何とかダメにならないようにできると幻想を振り播くのが野党。どちらも違う。ダメになる前に、根本問題に気づく人々どれだけいるか。

それでいいというのがサンダース。嫌なら出ていけという発想。米国の経済水準は落ちるかもしれないが、米国の誇りが捨てられるよりもマシ。この発想に、反緊縮を合わせて、大学生の半分以上が賛同する。すばらしいポピュリズムで、多くの気づきを与える力がある。

　米国の民主党にはその力がない。日本の立憲民主党にも国民民主党にもない。その意味で、山本太郎はバフェットやサンダースに近い「良いポピュリスト」だと思う。ボンクラが取り巻いても、ある程度敏感な人は気づきを契機に思考を掘っていけます。それが素晴らしい。

―― 山本太郎の具体的な政策については?

宮台　最も重要な政策はサンダースと共通する反緊縮です。反緊縮の中長期的な成否を予測するのは難しい。でも暫定的には正しい。知恵袋の松尾匡が言う通り、過去のデータを調べれば、財政緊縮を主張する政治家や政党は、日本に限らず選挙に落ちることが分かるからです。

　だから本気で弱者のための政策を採りたいなら、反緊縮を主張しなければ与党になれない。内容が正しいか正しくないかは関係ない。たとえ嘘でも反緊縮で成り立つと言わなければ政権をとる気がないのも同然。それが僕が松尾匡の本から受けとった「裏のメッセージ」です。

　サンダース候補だけが主張する政策は、99%累進率と奨学金徳政令と国民皆保険。奨学金で借金漬けになった人の全返済を免除する。「９００万円返したのにいまごろ免除されても」という不平等はある。でもそこまでケアしない。シンボルの政治で細かいことを言っても意味がない。

　奨学金で１０００万円以上の借金を負う若者が大勢いる中で、一瞬で借金をチャラにするよ、その分豊かになれるよと伝える。それが重要。立民などがいう緊縮財政は誰を豊かにするのか。

U.S. Senator Bernie Sanders speaking with supporters at a campaign rally at Arizona Veterans Memorial Coliseum in Phoenix, Arizona.
Photo by Gage Skidmore (https://www.flickr.com/people/gageskidmore/)

結局は既得権益ではないか。全体が間違っているのに、全体を身軽にしていいのか。

人々が茹でガエル状態から脱するのが根本です。だから全体がダメになるのはむしろ良い。どのみち日本の既存体制が持たないからです。データで判る。失業率は、非正規化すれば容易に盛れる。株価も日銀とＧＰＩＦ（年金積立金管理運用独立行政法人）の買い入れで盛れる。

盛れないデータが大切です。まず経済成長率。先進国では日本だけが20年間ゼロ。実質賃金は下がった。次に生産性。個人別ＧＤＰは米国の３分の２以下。昨年イタリアと韓国に抜かれた。五輪後は過剰投資が回収できず不況になる。かつて五輪後の１９６５年もそうだった。

でも経済成長率が13～14％あった。だから人々はすぐ忘れた。今度の新五輪後の不況から日本が脱することはできない。生産性が低すぎて競争の土俵に立てない。だから既存体制は放っておいてもダメになる。五輪前なのに昨年の年率ＧＤＰは７％も下落。日本は終っています。

どうせダメになるなら何でもありか？　それが安倍政権。何とかダメにならないようにできると幻想を振り播くのが野党。どちらも違う。ダメになる前に、根本問題に気づく人々どれだけいるかが、ダメになった後のソーシャルデザインに決定的に重要な意味を持つのです。

脳内をいじればいくらでも幸せになれる時代

宮台　米国オルトライトの知的中核に新反動主義者がいて、テックで「古き良きアメリカ」を再現しろと言う。新反動主義者の中に、資本制の加速で民主政の矛盾を加速して「制度による社会変革」を「テックによる社会変革」に置き換えろと主張する加速主義者がいます。

加速主義者はリベラルの弱点を熟知します。すでに話しました。なぜ恣意的な枠内で平等に配るのか。感情の劣化した人々が支える民主政に未来があると思うのか。そうした政策ででたらめな人々の未来のために自分の金を出すのは拒否する。投資家らが支持する背景です。

加速主義者は考える。人々が幸せになるのに再配分は不要。ドラッグとゲーミフィケーションがあれば十分だ。幸せとは脳内の問題だから、脳内環境をコントロールできればいい。だからドラッグとＶＲ・ＡＲで人々は幸せになれる。映画『マトリックス』のヴィジョンですね。

――大麻解禁もその流れなんですか？

宮台　加速主義者はそう考える。問題はそれでいいのかです。ドラッグやＶＲ・ＡＲで幸せになれたとする。幸せとは主観の問題だから確かに幸せだろう。だが「それでいいのか」。これは主観の問題ではなく、倫理の問題です。それは「仲間」という変数を加えれば分かる。

仲間の一人がそうして幸せになったとして、周囲はどう思うか。これまで仲間の絆を大切にし、むしろそれゆえに苦しんできた仲間が、脳内操作でハッピーになって、それでいいと思うだろうか。まやかしだと思うはず。仲間が大切だという利他性が倫理の物差しになるのです。

ただドラッグとＶＲ・ＡＲがいけないと言うんじゃない。アリ・フォルマン監督『コングレス未来学会議』（２０１５）を見るといい。もはやリアルでは倫理を貫徹できなくなった主人公がドラッグとＶＲ・ＡＲの世界で倫理を貫徹しようとする。そうしたことがあり得るのです。

ここでの仲間とは「言葉を超え、法を超え、損得を超えてシンクロする者たち」。僕にとっては、リアルかヴァーチャルかよりも、そうした感受性を持つ者たちをどれだけ残せるかが肝です。共同体を空洞化させ、システムに過剰依存した現在も、ある意味ヴァーチャルです。

現在、民主政などの制度が機能しなくなる一方、主観的には個人ごとに幸せになれるテックが急進しています。社会がダメになる速度が遅いと、そんなテックが全てをカバーしてしまうので、社会のダメさも、テックのダメさも、不問に付される可能性があります。

人を幸せにするテックであれ、「仲間を分断するテック」と「仲間をつなげるテック」を倫理的に区別すべきです。区別を先鋭化するには、テックがパワーアップする速度を超えて、社会がダメになる必要がある。社会のダメさについての反省をテックに活かせるからです。

その意味で、仮に反緊縮が失敗して経済が潰れ、それで社会が潰れても、構わないと僕は言い切ります。どのみちダメになる社会は、いま話した理由で早くダメになる方がいい。たとえヴァーチャルであれ、倫理的な社会を保つことに資する可能性が高まるだろうからです。

ニーチェがいう「悲劇の共有」の有無が社会のリカバリーの方向を決めます。既存プラットフォームを延命させたまま人を幸せにする方向を許すかどうかを決めるのです。問題は、既存フレームの外でプラットフォームの是非を評価するのに、必要な気づきが得られるか否か。

多くの人にとって、いまの制度が持つかどうかが大きな問題でしょうが、僕にとっては些細なことです。真の問題は、いまの制度の将来的な延長が大まかにであれ倫理的に正しいと言えるかどうかです。それを徹底的に思考することこそが、真のラディカリズムだと僕は思う。

——では、山本太郎やれいわに問題点ないし危険な部分があるとしたら、それはどこでしょう?

宮台 先に話した直接請求運動と同じ危険です。どうでもいいことに一喜一憂する者がどこにでもいる。選挙で負けたとか議会で否決されたとか。気持ちは分かるが大したことじゃない。問題は、リアルかヴァーチャルかを問わず、プラットフォームの大きな流れの方向です。

ドラッグやVR・ARで幸せになれたとする。幸せとは主観の問題だから確かに幸せだろう。だが「それでいいのか」。これは主観の問題ではなく倫理の問題です。仲間が大切だという利他性が倫理の物差しになる。

先ほど「分断するテック」か「つなげるテック」かを区別しました。加えて「忘却のためのテック」か「覚醒のためのテック」かを区別できます。いまは痛み止めとして機能する「忘却のテック」ばかりが進みます。「覚醒のテック」を目指すテクノロジストはごく僅かだ。

むろん前者より後者が倫理的に正しい。でも言葉でいうほど簡単じゃない。一つのネイションがテックで成員たちの大半を幸せにできたとすると、成員たちはネイションの外を忘れる。文字通り忘れるのでなくても、情報環境のアーキテクチャが外を遮断してしまいがちです。倫理的に間違った内閉化を、中国みたいに政治権力が制御しているとは限らない。各人が自分が良いと思うものを選ぶだけで、選好の集計が結果的に「外の忘却」を帰結する。すでに分断された個人がシステムに向かい合う状況では、各人は自分が幸せになるので精一杯です。

従来のシステム化で個人が分断されると、幸せになれるか否かは自己責任の問題になるから、それは仕方ない。イデオロギーの問題ではなく、事実の問題です。従来のシステム化の延長上で「忘却のテック」が社会を覆えば、人々は幸せになった分、外を忘れるようになります。

「なりきり」ができるかどうか

―― いまは液晶画面を見てさえいれば、ニュースも知ることができるし、他人がどんなことを話しているかも覗き見できるし、買い物もできるしポルノも見られるし、すべてが完結する。しかも24時間いつでもそれができる。世界は20年前と比べて大きく変わりました。大企業に就職してそういう液晶画面を見るような生活だけ送っていれば、それが幸せとして成立してしまう怖さはありますよね。

宮台　怖さというときには倫理的判断がある。全ての倫理は何かを許せないという感覚に発します。それは端的なもので、論理的根拠とは無関係です。それを踏まえた上で言うと、人々の間の関係は、言語や法や損得の外にある直接的な共同身体性や共通感覚をベースにすべきだと思う。

直接的な共同身体性や共通感覚の有無は、互いに「なりきり」ができるか否かで測れます。「なりきり」ができるか否か自体は、倫理ではなく事実です。「弱者を助けよ」というのは、倫理ですが、「なりきり」ゆえに弱者のために体が動いてしまうのは、事実です。

だから「なりきり」ができない者を相手に「なりきれ」と言うのは無意味です。逆に「なりきり」が当たり前にできれば「弱者を助けよ」が倫理になる可能性が高まる。そこで考えたいのは「なりきり」の対象です。「なりきり」の相手は人間である必要があるだろうか。

遊動段階や初期定住段階つまり大規模定住（文明）以前、人類は無文字。音声言語だけを頼った。身体的距離が近く、韻律やピッチや挙措を伴う、散文言語ならぬ詩的言語でした。つまり歌に近い言語使用です。従って共同身体性や共通感覚がコミュニケーションの基本でした。

当時の人間は、人だけでなく動物に「なりきり」、動物だけでなく花や木など植物に「なりきり」、生物だけでなく山や川や雲など無生物に「なりきり」ました。アニミズムと言います。「なりきり」ができるのは、それらから「見られる」体験を共有していたからでした。

人間は見られていないとちゃんとしませんが、人が見ていなくても熊や鹿や木や森が見ていると感じた。アニミズムを万物に精霊が宿ると解釈したのはキリスト教の世界観。実際は精霊は関係なく、万物に見る力があり、ゆえに「なりきり」の対象にするのがアニミズムです。

彼らが諸事物を大切にしたのは、生物多様性が大事という言葉によるのではない。人間と同じように見る力があるので「なりきり」の対象になるからです。多様性が大事だという言葉は人間中心主義の産物ですが、彼らにとって人間だけが仲間ではなかったということです。

これを踏まえて言えば、今後は従来のシステム化の流れで、人はさらにクズ＝「言葉の自動機械・法の奴隷・損得マシン」になります。つまり人間が人間的ではなくなる。他方、感情が劣化した人間よりも人間的なＡＩや改造哺乳類が登場するのは、もはや時間の問題です。「人間的でなくなった人間」と「人間的なＡＩや改造哺乳類」のどちらを仲間にしたいか。「言葉の自動機械・法の奴隷・損得マシン」でもない限り答えは言うまでもない。かつて人間以外の生物や無生物が「なりきり」の対象になったのと同じことがそこでも生じます。

そのことが真の幸せに関係する。進化心理学まで射程が拡がった進化生物学の思考やビッグヒストリーのおかげで一部の人が理解し始めたように、大絶滅は良いことです。大絶滅による生態学的ニッチが進化の大爆発をもたらし、放射能も大量死と突然変異をもたらします。

大絶滅は進化の前提です。何が何の前提になるかという前提・被前提関係のネットワークを辿る営みを生態学的思考と言います。生態学的思考は人間中心主義を爆砕します。その生態学＝エコロジーの出発点は、ゲルマンの自然信仰つまり森の思考です。ナチスの根底もそれ。ナチスだけじゃない。ゲルマンルーツのスウェーデンも、どこよりも最近まで団種法を維持してきた。これも森の思考による。こうした事情ゆえに１９７０年代までドイツではエコロジーはタブー。欧米に生じた人間中心主義的な環境保護運動のおかげでタブーが解除された。

そうした流れを象徴するのが、人間の尊厳を機軸に環境保護を基礎づけたベアード・キャリコット。でもそうした思考を御都合主義だと批判したのがやはりドイツに発したディープエコロジー。地球生態系が守られるには核戦争で人類のほとんどが絶滅するのが良いとします。

生態学は人間中心主義を爆砕する。それを人間中心主義的な自然生態系に縮小したのが「エコロジー」です。理屈上はナチスやディープエコロジーに分がある。そのことを直接に描くのが、話題の映画『ミッドサマー』とNetflixの『グリーンフロンティア』全8話です。

前者は、スウェーデンのある村の自然信仰=森の思考が、人間中心主義からかけ離れていて「人を殺しまくる」のを、欧米人にとってのホラー（恐怖）として描く米国映画です。後者は、先住民による放火が話題のアマゾンにおける、先住民の部族間対立がモチーフです。

文明化を許容する部族が、牧草地拡大による収入増を求め、白人牧場主の指令通り放火しているのは有名です。映画ではこうした文明許容的な部族と、ラディカルな文明拒絶的な部族の対立が描かれますが、文明拒絶的な部族の指導者が森に逃れたナチス残党だという設定です。

若い人は突拍子もない設定だと感じがちですが、映画『アイヒマン追跡作戦』などで描かれたようにナチス残党がアマゾンの森に逃げたのは事実。なおかつナチスがゲルマンの脱人間中心主義的な自然信仰を思考のベースにしていたのも事実。実はナチュラルな設定なのです。

でもディープエコロジー的思考には一部の加速主義と同じ難点もある。「あとは野となれ山となれ」という主張で、意味がないことです。生態学的思考を突き詰めれば、人間中心主義によって地球が破滅しようが民主政によって社会が破滅しようが、なるようになるだけ。

要は「カオスのいいとこ取り」なのです。生態学的思考のスコープは宇宙全域に及び、スパンは宇宙の始源から終焉にまで及ぶので、地球がどうなろうが社会がどうなろうが些細なはず。何を救って何を守るかは暫定的問題です。暫定的だと弁えつつ、自由主義者や民主主義者や共和主義者や再配分主義者に「なりすます」のが大切です。でも「なりすまし」で大事なのは、ソレが真実ではないと意識できることです。

「なりきり」の多様性を擁護するマルチスピーシーズ人類学にも同じ難点があります。

こうした隘路の出口はどこか。フランクフルト学派（フロイト左派）がナチスを言語的理性に固執する神経症（neurosis）だと捉えたのがヒント。そう、感情の働きにはゲノム的に「越えにくい壁」がある。ゲノム的基盤は社会生活の歴史を織り込んだ進化生物学的達成です。

進化心理学者ロビン・ダンバーが言うように、我々が仲間だと思える範囲が、人為的虚構にコミットしない限り１５０人以下なのも、進化生物学的達成です。虚構の持続可能性が乏しいのはそれとして、「なりきり」の範囲にも進化的達成としてのゲノム的制約が加わるのです。

僕らは１５０人以上を仲間として維持しにくいように、全宇宙を「なりきり」の対象とするのも難しい。こうした「感情の越えにくい壁」を無視して言語的理性への固執を極端化したのがナチスであり、ディープエコロジーです。こうした批判だけが有効であり得ます。

でも、そうした批判が有効なのと同じ理由で、人間だけを守れという発想にも難点があります。感情の越えにくい壁があるにせよ、我々が人間以外のものにも「なりきれる」からです。最終的に問題となるのは、僕らが何に「なりきれる」のかという感情の事実性です。

だから、ユルゲン・ハーバマスが懸念するように、クリスパーキャス9が可能にする低コストのゲノム操作で、認知的・感情的・道徳的エンハンスメントがなされるのは、倫理の基盤を掘り崩す点で危険です。でもゲノム操縦によるエンハンスメントは止まらないでしょう。

そういう大きな文脈からすれば、何を救って何を守るかは暫定的問題です。暫定的だと弁えつつ、自由主義者や民主主義者や共和主義者や再配分主義者に「なりすます」のが大切です。大規模定住以降の社会は「なりきり」ならぬ「なりすまし」抜きでは生きられないからです。

でも「なりすまし」で大事なのは、ソレが真実ではないと意識できることです。意識できないと、思い込みに淫する帰結になります。こうした帰結を回避する道は、虚構をも用いた自在な「なりきり」による「許せる／許せない」という感情です。しかし困難があります。
「許せる／許せない」の感情は、多くの場合思い込みから生じ、その思い込みを強化します。すると「言葉の自動機械・法の奴隷」になります。絶えず思い込みの外に出て変容しながら、憤り続けるのが大切です。そんな運動を細々とではあれ継承していくのが大切です。

　山本太郎の運動が持つ潜在的な可能性はそこにあります。山本とれいわ新選組の運動が５年や10年で実るかどうかには関心がありません。実ればいいなとは思ってはいるけど、実らないことにガッカリするというショボいメンタリティを反復することだけはやめてほしい。

　マクロがこんな状況では、そうした運動が短期で実ることはあり得ません。実ったと見えても、支持率８割の鳩山由紀夫政権から程なく、第二次安倍政権がどんなにクズでも支持率が４割を下らない状況が続いているのと、同じことがこれからも長く反復するでしょう。

　一つ頭に置くべきなのは、保守主義の開祖エドマンド・バークが言うように、社会にはいつも「見えないパラメータ」があること。「こうしたらそうなる」と見えて、実はその因果性は「見えないパラメータ」に依存するので、改革成功の思い込みはすぐに頓挫します。

　一例が米国オレゴン州ポートランド市。地産地消的農業もエネルギー自給も盛んで「食とエネルギーの共同体自治の見本だ」と僕も言ってきました。僕が保坂区長を補佐して行政に関わることもある世田谷区はポートランドと姉妹都市です。そのポートランドの現在はどうか。

　２年前から市には若年ホームレスが溢れ返っています。以前からの危惧が現実化した。市の評判を聞いた人々が流入して人口が急増した。多くはフリーライダー（タダ乗り野郎）です。評判で人も企業も集中して地代が上昇、行政コストも鰻登りで需要を賄えなくなる。

ポートランドの成功はパラメータ依存的だったのです。環境（パラメータの値のワンセット）に恵まれていたからうまくいっていた。要はポートランドは資本主義のマクロシステムに寄生する存在です。だからポートランドには環境がいじれない。ゆえに「なるようになった」。

多くの人はガッカリしたけど、「見えないパラメータ」を意識しなかったからです。それを意識したからといってポートランドの没落を避けられたかどうかは分からない。でも「ポートランドが答えだ、これこそがオルタナティブだ」との思い込みからは自由になれたはず。

僕も世田谷はいい場所だと思う。でも流入人口と出生率の高さで長く続かないだろうとも言ってきました。すると、見本にしてきたポートランドが逸早く空洞化した。そうした事態が起こり得るのを意識しつつ「まちづくり」をしようという僕の持論が、傍証された形です。

―― 具体的にはどのような状況なのでしょう？

宮台　象徴的な事例を言えば、世田谷は待機児童が多いが、人がどんどん流入してどんどん子が生まれて、行政が追い付きにくいからです。あそこはいい場所だと思うと人が多数流入する。近代国家では移動・交通の自由が保障されているから、それは止められないのです。

もう一つの必然がフリーライダー。70年代には公害地獄だったポートランドですが、ヒッピー運動から生まれた高速道路撤去運動の延長上でニール・ゴールドシュミット市長を誕生させ、車社会からの脱却を旗印に市街電車や緑地帯や近隣組合を中心に街を作ってきました。

努力して30～40年かけてまちづくりに邁進してきた人々と、「どうもあそこはいいらしいぞ」

Zidell ship-wrecking yard, Portland, Oregon, 1972 (Collection of National Archives at College Park)

と後から流入してくる人々は、違う。後者は、地域共同体に貢献するより、サービスを消費するのがもっぱら。顔が見える範囲での地産地消という理念より、有機野菜に興味を抱く。

要はスローフードとロハス（Lifestyles of Health and Sustainability）の違いです。前者は法規制――罰則による損得勘定――よりも共同性――仲間に貢献したい意欲――をベースに経済を回す共同体再生運動だけど、後者は消費者運動を前提としたコンプライアンスに過ぎません。

前者は、システム（市場と行政による便益調達）への依存による生活世界（共同体的関係による便益調達）の侵食を防ごうとする動きです。後者は、システムを消費者の高度な要求に応じて改善しようとする動きに過ぎず、システムによる生活世界空洞化を止められないのです。

だから、グローバル化とテック化による「見えないパラメータ」の激変で、人口爆発と格差化の進行に抗えなくなった。より良いシステムへの依存ばかり望む人々は、システムがうまく回らなくなった途端に路頭に迷うので。若年ホームレス急増と街区空洞化が象徴的です。

システムのいいとこどりをする連中を民主政国家はマクロには排除できません。だからポートランドは構造的にもともと持続可能性が乏しかったのです。全域的に汎システム化が進む中、局所だけが長くうまくいくことはありません。イデオロギーに関係ない構造的問題です。

関係があるのはイデオロギーではなく感情的劣化＝クズ化です。言葉の自動機械・法の奴隷・損得マシンになること。クズは、自分が生きている間さえ船が沈まなければいいという発想をし、子々孫々への持続可能性を目指して構造を熟慮する構えをなおざりにします。

安倍政権を支持する理由

安倍が社会をダメにしたんじゃない。社会のダメさを安倍が明るみにしただけ。十年前から「社会の穴を経済が埋めているだけ。経済が落ちれば社会の穴に人が落ちる」と言ってきた。パラフレーズすれば「経済が落ちる前から社会はクソだった」。

――安倍政権もそのような発想なのでしょうか?

宮台　その象徴です。「だから」僕は一貫して安倍支持です。ラジオ『デイ・キャッチ!』でも繰り返してきた。先の米国大統領選でも「熱烈な」トランプ支持でした。一時ヒラリーが勝ちそうになったとき、落ち込んで鬱状態になったことを周囲が証言してくれるでしょう。

なぜ安倍支持・トランプ支持か。単純です。社会と人の劣化が顕在化するから。テックを含めたシステムがそれを弥縫する暇がないので、前から進んでいた社会のクソ化(=生活世界空洞化)と人のクズ化(=感情的劣化)が顕在化します。両方は互いを強化し合います。

考えてもみて下さい。安倍やトランプが権力の頂点に立つことで顕在化したことが余りに多い。僕が20年間語り、とりわけ原発事故の10年前から強調してきた、社会のクソ化と人のクズ化。誰も耳を傾けてくれなかったのに、この2〜3年、やっと耳を傾けてくれはじめた。

それがイデオロギー問題じゃないこと。自称右にも自称左にも共通して進む劣化現象であること。「右か左かではなく、まともかクズか」であること。そうした言明もやっと広くに行き渡るようになりました。横這いだったTwitterのフォロワー数も2倍近くに増えました。

全ては安倍のおかげです。安倍が社会をダメにしたんじゃない。社会のダメさを安倍が明るみにしただけ。十年前から「社会の穴を経済が埋めているだけ。経済が落ちれば社会の穴に人が落ちる」と言ってきた。パラフレーズすれば「経済が落ちる前から社会はクソだった」。

人は認知的整合化の動物。クズな生き方を変えたくないから「安倍のせい、経済不況のせい」と外部帰属化し、「いい政治家を、いい経済政策を」と叫ぶ。昨今の体たらくでも安倍支持率が下がらないのも同じ。安倍を支持してきた自分の判断と生き方の誤りを認めたくない。

実は、クソ社会を生きるクズな人は、全ては社会（社会システム）と人（心理システム）が作り出す内部表現であることを自覚しない。社会がスクリーンに映し出したイメージ、心がスクリーンに映し出したイメージを存在であると錯覚する。常にすでに全てはヴァーチャルです。

僕はクリスチャンなので、人の善い悪いの判断は全て間違いだというイエスの原罪解釈を支持します。後期ユングが明らかにした通り、イエスは同時代の原グノーシズムの流れの一角です。原グノーシズムは、神も聖霊も悪魔も戒律も、人が生み出した内部表現だと喝破します。

この取り違えを安倍とトランプが突きつけてくれた。ナチスが自然信仰の恐ろしい可能性を突きつけてくれたのと同じです。それでも多くの人々はいいとこ取りの内部表現を生産し、日本すげえ、安倍すげえ、米国すげえ、トランプすげえと、「痛み止め」に縋《すが》っています。

ならば、いまよりさらに「痛み止めも効かないほどの痛み」が必要です。程なくそうなる。仲間がいない人間は痛みに耐えられないでしょう。それでいい。それこそ「悲劇の共有」になる。悲劇の訪れを予感できない者が、悲劇の痛みにもがき苦しむのは自業自得です。

先にエコロジーの出発点がナチスだったと言いました。人体実験マニアでやはり南米に逃亡した「死の天使」ヨーゼフ・メンゲレもエコロジストだった。ジャングルを見ろ、弱肉強食だ、人類もその一角、日頃豚や牛を食べながら人を殺すなとはちゃんちゃらオカシイと。

この思考が理性の暴走だと言いました。ここではもう一つ救癩施設（ハンセン病者隔離施設）の例を挙げます。多磨全生園や沖縄愛楽園には昭和30年代初期の自然豊かな風景が残っている。一生出られない管理された牢獄ですが、そこでは自然と人が一体になっています。

アニメーターの宮崎駿が一部作品のモチーフにしているとの説もある程で、ここにはナチス的ユートピアがあります。悪いものは見掛けも極悪に見え、善いものは見掛けも善良に見えると思いがちですが、ナチスのディストピアはどこよりも自然溢れるユートピアなのです。

じゃがたらの重要性

――宮台さんがおっしゃることはすごくよくわかる。とてもラディカルな発想です。宮台さんは多くの学生さんたちと対話していると思いますが、それはどのくらい理解されるのですか?

宮台　最初は別にして、半年もゼミにいれば理解できるようになります。ゼミではゼミ内外で体験した映画や音楽をベースに議論します。ゼミでの議論が体験質（クオリア）を要求するからです。「言葉・法・損得の、外側でのシンクロ」のシニフィエは体験質そのものなのです。

僕とあなたが夕陽を前にともに「赤いね」と呟く。赤いという言語的シニフィエは共有されていると見える。でも僕が体験している赤さとあなたが体験している赤さが同じかどうかは言語的やりとりでは明らかにならない。言語外の体験の同じさは体験質の問題なのです。

ゼミは三段階を経由します。第一段階が体験質の想起。第二段階がそれを前提にした類似の思考。ベンヤミンがいう寓意（allegory）。「世界は確かにそうなっている」との納得です。第三段階がそれを前提にした概念的理解。概念的理解だけで議論することを許しません。

第一と第二の段階を達成すべくコンテンツ体験が用いられます。体験質をシェアしたとの実感を得るには、週1のゼミじゃ時間が足りない。だから学部と院をぶちぬいて5時間とり、L

ＩＮＥで旺盛にやりとりします。半年も続ければ自他の感情の働きに自覚的になれます。

―― わたしたちは今年じゃがたらの特集号を出しました。宮台さんも学生さんたちにじゃがたらを聞かせているそうですね。いまの学生さんたちはじゃがたらに興味を持つんでしょうか?

宮台 はい、とても。財団法人じゃがたら時代のボサノヴァの「タンゴ」、暗黒大陸じゃがたら時代の「タンゴ」。『君と踊りあかそう日の出を見るまで』の「少年少女」、『ニセ予言者ども』の「少年少女」。けっこう細かい差異を実感してもらっています。

その上で「この曲にはＥＢＢＹヴァージョンとＯＴＯヴァージョンがある。僕はこう感じる。皆はどう?」とやる。ポイントはアングラの泥臭さとポップのスタイリッシュさの違いが何を意味するか。結論は「覚醒（不安の掻き立て）」と「癒し（安心の提供）」の違いです。

アングラの特徴は規定不能性。ポップの特徴は規定可能性。当初は規定不能なアングラが小さいなりに市場を獲得するが、やがて縮小。それに対応すべく規定可能なポップにシフトする。規定可能化はジャンル化として現れる。シフトの理由は表現者が飯を食うためだけではない。

規定不能で不安を惹起するアングラが伝わるのは、「違和感の時代」の共同身体性と共通感覚が理由です。それが「平穏の時代」になると、規定可能で安心して聴けるポップにシフトしないと伝わらなくなる。食うための市場の大小だけでなく、表現の手応えの有無がポイント。

60年代後半から70年代前半はアングラの時代。ジャズやロックが典型です。これらが70年代半ばに技術を極めたポップスに頽落。それへの反発から70年代後半にパンクが生まれたが、それも80年代に洗練されたニューウェイヴに頽落。そこで生まれたのが、じゃがたらです。

アケミをリーダーとするじゃがたらも、アケミの精神崩壊前はアングラ、回復後はアングラ

多くの人が社会がどうのこうのと考えているけど、ほとんどが妄想です。ウヨ豚と糞フェミを見てりゃ分かる。感情が劣化した輩がどんなに正しそうなことを言っても無駄。肝腎なのは、誰と出会い、誰を仲間だと思い、誰に仲間だと思われているかです。

とポップの混在、やがてポップに頽落した。じゃがたら十年史を音楽的に体験した学生がどちらにシンクロするか。大多数は前者にシンクロする。いまが「違和感の時代」だからです。

アケミとＯＴＯは良い悪いは別にして人種が違う。５年前後の世代のズレが大きい。ＯＴＯには「スタイリッシュじゃない、泥臭さだ」というアケミの言葉が分からなかった。でも音楽業界から退いて農業をやり、原発問題などを考えるうちに、アケミの言葉が氷解した。

イエスのキリストとしての復活に似ます。史的イエス研究から言うと、イエスの復活とは、一度は離散した弟子の各人にイエスの言葉が一挙に氷解して訪れた事実の暗喩です。同じように、アケミの死後しばらくしてからＯＴＯにアケミの言葉が氷解して訪れたのです。

アケミから遠かったＯＴＯがいまは誰よりもアケミを理解している。パウロに似ています。ユダヤ教徒の彼はローマの手先としてキリスト教を異端狩りしていた。それが中興の祖になった。遠かったからこそ深く理解する。だからＯＴＯもじゃがたらの中興の祖になるのです。

ＥＢＢＹはアケミに近すぎる。間違いなく「アケミ愛」の人。だからこそ距離をとってアケミを評価できない。アケミの感受性にシンクロし愛するからこそ、離れても戻ってくる。でもアケミにあるものが自分にないことが問題になる。体験的に僕にはよく分かります。

ＯＴＯはアケミとは人種が違った。音楽から離れたことも大きい。だからアケミへの嫉妬もないし、近さゆえの目の曇りもない。ゼミには年長者もいて、長年のじゃがたらファンもいるけど、こぞって「ＯＴＯがじゃがたらをダメにした」と言う（笑）。それは違います。

長い目ではＯＴＯがじゃがたらを復興する。実際彼のおかげでじゃがたらが残った。彼が一人で編んだ死後のベスト集『西暦２０００年分の反省』の公平さは特筆ものです。音楽なんてどうでもいいというアケミの言葉を一番分かっている。南（流石）はまだ理解していない。

——それはどのような点で？

宮台　先日Jagatara2020のイベントを観て感じました。ＯＴＯは最後「踊るのもいいけど、アケミの違和感を理解してほしい」と語った。他方、南は祭りを再興したがっている。僕も登壇して言ったけど、誰の祭りかが問題です。あの場にはアケミの仲間と非仲間が混在していた。

祭りには包摂と排除の両義性があります。シンクロできる奴とできない奴がいるのです。どんなに包摂しようと思っても包摂できない奴がいます。その境界線は自動的に生じる。だからこそ誰を包摂して誰を排除しているのかを自覚する必要があるわけです。

Jagatara2020は全体的に「毎日つまらないだろ、だったら踊ろう！」という南の線。アケミ＝ＯＴＯはそこに留まらない。「なぜつまらないのか分かんないの？　お前らの存在がつまらないんだよ！」「社会じゃなく、お前がつまらないんだ！」と喝破する。これは呪いです。

——重要なのは、そこにどれだけ多くの人が気づくことができるか、ということですね。

宮台　「社会がつまらないんじゃない、お前がつまらないんだ！」に尽きます。クソ社会で「つまらない存在」から脱するには、先ほどの「なりきり」と「なりすまし」の両方が要ります。比喩的に言うと「アングラからポップに頽落しないための知恵」がそれなのです。

僕は映画界隈に関わっているから、頽落問題をよく目にします。魂を伝える営みと食う営みは一致しないと多くが思い込む。でも誤りだ。魂と営業を両立させてきた好例がクリント・イーストウッドです。最近の映画『リチャード・ジュエル』についてもそれが言えます。

劇場パンフを見ても大半の人が社会派映画だと受け取る。冤罪批判やマスコミ批判だと。違う。主人公ジュエルの成長譚です。彼は米国の権威に一体化できるから自分は幸せだと思っていたが、冤罪騒動を通じてまどろみから覚醒した。社会はクソで自分はクズだと気づいた。『ハドソン川の奇跡』も英雄譚だと思う向きが大半。間違いです。主人公サレンバーグ機長は笑わない。二つある。第一に、当たり前のことをしただけだから。第二に、自分は機体が水没する際に最後尾まで行って乗客がいないのを確認できなかったのを恥じていたから。

多くは『ハドソン川〜』を英雄譚として楽しみ、『リチャード〜』を既成体制批判だと褒める。だからマーケットで儲けられる。でも1割は「評判と全然違うぜ」と気づく。気づきの手掛かりが用意されている。彼の作品は全てそういう作り。彼が頓馬を呪っているからです。勘違いを誘導して儲けつつ、分かる人には分からせる。この二重性が知恵です。奇しくもこの知恵を体現するのが先に話した中期じゃがたら。アングラとポップが混在するじゃがたらです。脳天気はファンキーなアフロビートにノリ、真の仲間はアケミの痛みを共有する。

政治に戻ると、多くの人が社会がどうのこうのと考えているけど、ほとんどが妄想です。ウヨ豚と糞フェミを見てりゃ分かる。感情が劣化した輩がどんなに正しそうなことを言っても無駄。肝腎なのは、誰と出会い、誰を仲間だと思い、誰に仲間だと思われているかです。

だから、じゃがたら話は横道じゃない。僕には山本太郎の姿が江戸アケミに重なって見えます。ともに社会よりも実存を、イデオロギーよりも生き方を問題にしている。宮台の十八番の台詞を繰り返します。「右か左か、フェミか反フェミか、ではなく、まともかクズかだ」。

（取材：野田努＋小林拓音）

宮台真司
（みやだい・しんじ）
首都大学東京教授。社会学、映画批評。著書に『権力の予期理論』（勁草書房）、『制服少女たちの選択』（講談社／朝日文庫）、『終わりなき日常を生きろ』（ちくま文庫）、『日本の難点』（幻冬舎新書）、『私たちはどこから来て、どこへ行くのか』（幻冬舎文庫）など多数。共著に『サブカルチャー神話解体』（ちくま文庫）など多数。

INTERVIEW

(5)

ISOKO MOCHIZUKI

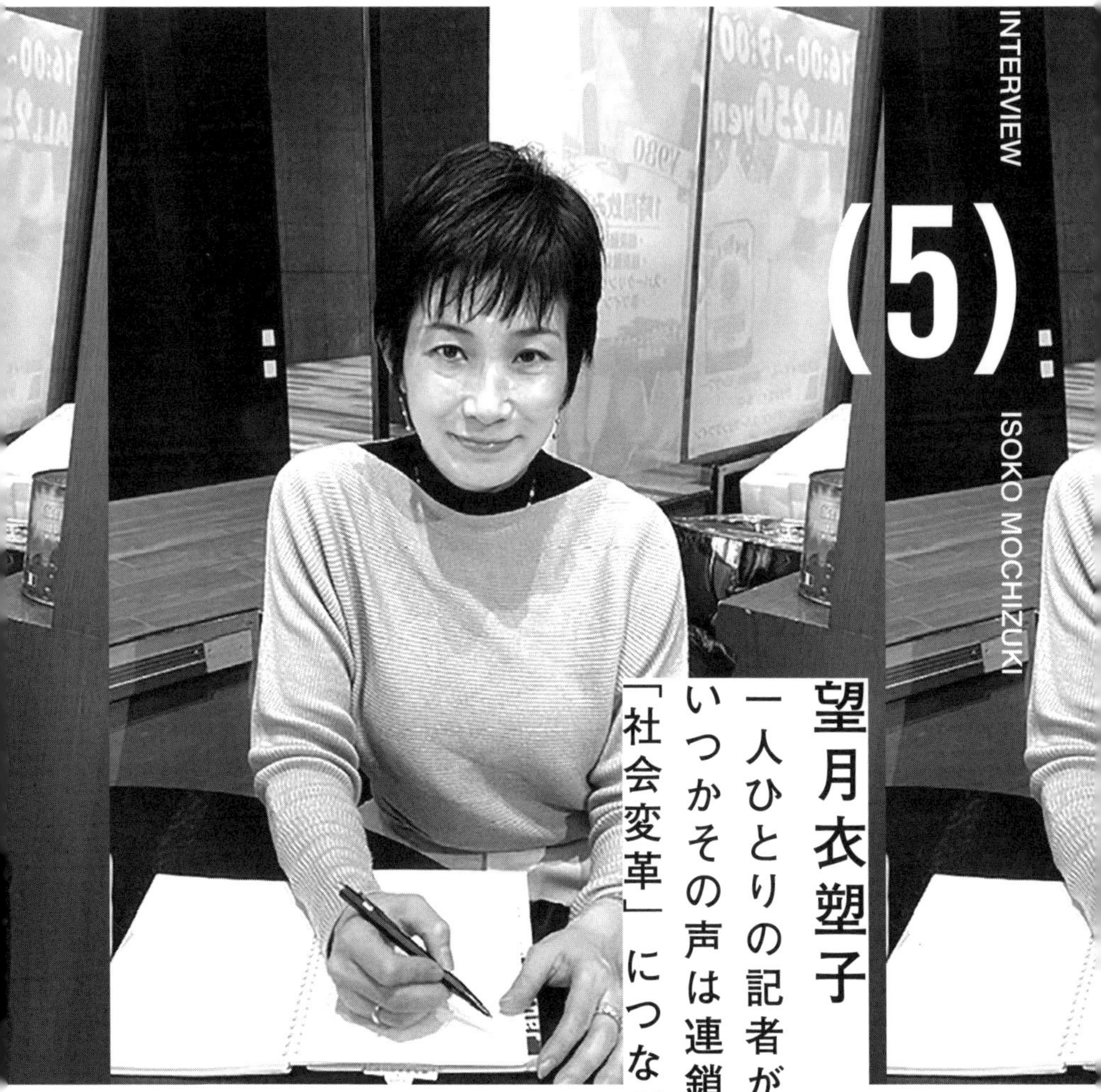

望月衣塑子

一人ひとりの記者が声を上げていけば、いつかその声は連鎖を生み「社会変革」につながる

安倍政権による〝言論封殺〟や記者クラブの〝同調圧力〟に屈せず、官房長官記者会見で疑惑追及に邁進する望月衣塑子記者。その姿は〝空気を読まない〟山本太郎氏の国会質問に通じる。権力監視のジャーナリズムを実践する望月記者は、弱者に寄り添う山本氏に「本気度」を感じるという。森友・加計学園や「桜を見る会」を巡って国家の私物化を図る〝裸の王様〟の暴走を食い止めるには〝忖度しない〟政治とメディアに期待するしかない。

権力監視の機能からほど遠い〝御用メディア〟

――山本太郎さんは参院議員時代に国会でのメリハリのある突っ込んだ質問で注目を集めました。一方、望月さんは菅義偉官房長官の記者会見での粘り強い質問によってメディア界の寵児とも言える存在になりました。誰もが知りたいことを納得がいくまで忖度せずに聞くという姿勢がおふたりに共通しているのではありませんか？

望月　山本さんが注目されたのは国会の質問でしたね。安保法制や集団的自衛権、辺野古新基地建設などの問題について理詰めで政府を追及している姿が印象的でした。以前、私も参議院の委員会で山本さんが質問するところを見たことがありますが、質問に立つ直前まで何度もペーパーを書き換え、質問の内容を練り込んでいたのを覚えています。少数政党は質問時間の割り振りが少ないですから、どの問題にどう攻め込むのかについて綿密に戦略を立てているのをひしひしと感じました。特に、山本さんは難しいテーマであっても分かりやすい言葉で伝えることに力を注いでいるようです。難しいことをいっぱい学んでもそれをどうやって分かりやすく伝えるのかは別の問題です。相手がスッと理解できるように説明することがとても大切です。その意味で山本さんの質問はとても勉強になります。

――山本太郎さんが質問で取り上げるテーマは、本人の意向だけでなく、秘書や知り合いのジャーナリスト、それに一般市民の提案のなかからも選択しているそうです。記者の質問の場合はどうですか？

望月　官房長官会見での質問の前提にはそれまでの取材活動が凝縮されています。取材のなかで疑問に感じたことや地域で活動している人たちが聞きたいことを記者会見でぶつけ、その反応をみることで次の取材や調査の方向性が定まったり、入手した情報の裏取りに生きたりすることもあります。

――山本さんは国会を去りましたが、その後の国会質問と言えば、首相が主催する「桜を見る会」の問題での共産党が際だっていましたね？

望月　山本さん以外の議員でも質問力のある人たちは、秘書の方たちと一緒に相当、事前リサーチをやっています。その昔、これはという議員が質問するときには前日に国会担当の記者は議員宿舎に詰めかけたそうです。たとえば、民主党が政権交替する気運のあった時期には民主党議員に情報を流す官僚がいたわけですが、それがいまや共産党に情報を流す官僚がいるということでしょう。確かに、いまの野党に政権交替の勢いはありませんが、政権が隠そうとする情報を世の中に出したいと考える官僚はいるはずです。共産党は昔から看板も変わっていないし、おかしな情報漏れもなさそうだという信頼感もあるようです。政権に人事を握られていようと、時の政権に反発する良心のある官僚はいます。前川喜平さんもそのひとりです。かつて

首相はプロンプターに映し出された文章を、いかにも自分の言葉でしゃべっているように読み上げているだけでした。文章は秘書官が作成したものです。その後の記者の質問では事前に用意されたペーパーに視線を落としたまま棒読みしていました。

は民主党に流れていたような情報が共産党に行くようになったのでしょう。

昔なら政権が吹っ飛んでいたような破壊力のある情報や資料が共産党議員によって明らかになっています。例えば、２０１８年６月に共産党の辰巳孝太郎議員が森友学園問題に絡んで参議院決算委員会で国交省航空局作成の内部メモを暴露しました。安倍首相の昭恵夫人付きの政府職員である谷査恵子氏が国有地引き下げの優遇措置の適用を財務省に求めた文書です。資料のネタ元は官僚以外に考えられません。「桜を見る会」の問題もそうです。招待者名簿の破棄や政治資金規正法違反が取り沙汰されている前夜祭問題にしても、共産党の田村智子議員が疑惑追及の中心になっていますが、共産党は赤旗を含め組織を挙げて調査し、そのなかからこれはというネタを見つけると田村さんが国会でドーンと質問するというスタイルですね。山本太郎さんの質問にもチーム一丸となった強みを感じました。早く山本さんに戦線復帰していただきたいですね。

――安倍首相は2月27日に新型コロナウイルス感染防止のため「全国の小中高校への休校要請」を発表しました。この唐突な判断について説明するために首相は2日後の29日に首相官邸で記者会見を開きました。この会見で首相から納得のいく説明は得られたでしょうか？

望月　コロナウイルスの感染拡大後も国民の前に姿を見せて説明することなく、感染防止対策も後手後手に回ったことから、海外メディアに「安倍はどこ？」と書かれました。記者会見では「全国一斉休校の要請」についてどのような説明をするのかが注目されましたが、結局、安倍首相は一斉休校という唐突な判断について具体的根拠を示すことなく、「私の決断」「私の責任」を繰り返しただけでした。

――政府の財源を伴う医療体制や検査体制、休業補償といった詳細についても明らかにしませんでした。自らの政治決断への理解を求めただけで、国民の不安に向き合おうとする覚悟はまったく感じられませんでしたね？

望月　予備費２７００億円を使った経済対策について「10日のうちに」としただけで具体的な内容は一切明らかにしませんでした。コロナウイルスの感染が拡大しているときに必要なのは言葉だけの決意ではありません。本気度だと思います。会見の冒頭、安倍首相は一方的に19分間話しましたが、演壇の左右に配置されたプロンプターに映し出された文章を、いかにも自分の言葉でしゃべっているように読み上げているだけでした。文章は秘書官が作成しパソコンで送ったものです。さらに、その後の記者の質問では事前に用意されたペーパーに視線を落としたまま棒読みしていました。

――記者の質問の回答まで事前に用意されていたということは、質問も事前に官邸側に知らされているということですね。会見時間も「20分間」と記者会に事前通告されていたそうですが、まるで官邸と記者クラブの出来レースですね？

望月　記者会見では官邸記者クラブの記者の質問の後、３人の記者が質問し、30分が過ぎた段階で、広報官が「予定していた時間を経過しました」と言って強引に会見を打ち切ろうとしました。記者側は感染防止の不備や経済対策の具体的な内容について問いただす構えでしたし、私も質問を準備していたのですが、首相は記者の声を一顧だにせず、演壇を降りて足早に会見場を後にしました。事前に記者側から質問内容を通告させ、それに対して秘書官あたりが回答を事前に準備する、会見では広報官が官邸記者クラブに所属する記者とか決まった記者しか指名しない――安倍政権はこうしたやり方を踏襲してきました。明らかな〝質問制限〟ですが、そのことは官邸記者クラブ側も了解済みです。コロナウイルスの感染が拡大して日本中が大変なことになっているのに、「この期に及んでまだ同じことをやっているのか」と絶句しました。

―― 翌3月2日の参議院予算委員会で立憲民主党の蓮舫議員が会見での質問打ち切りについて質問しましたが、安倍首相は「あらかじめ記者会と打ち合わせしている」と〝自白〟しました。しかも「やり取りはあらかじめ質問をもらっている。誰に当てるかは広報が決める」と責任逃れまでしています。官邸記者クラブに詰めている記者たちに「権力監視」の役割を期待するのは無理ですね？

望月 さすがに今回の首相記者会見は質疑があってないようなものでしたし、官邸記者クラブのキャップたちの多くも質問できなかったわけです。今回の件をきっかけに官邸記者クラブの記者から「もっと質疑の時間を取って欲しい」という声が上がることを期待するしかありません。いずれにせよ、安倍さんの〝独演会〟と言われるような記者会見を許していては新聞やテレビの記者に対する国民の信頼が失われてもおかしくありません。記者会見は記者クラブ側が主催しているものです。質問の事前通告を求める官邸側の要求に応じることも、会見時間を「20分間」と通告されてそれに従うことも、質疑応答での質問制限を唯々諾々と受け入れることもあってはならないことです。

普段から安倍首相は番記者の声かけの取材にもせいぜい1、2問しか答えません。他の国の首相や大統領のようにアドリブで話すこともあまりありません。おそらく「首相にペーパーなしでしゃべらせるな」という失言を心配する側近の思惑が働いているのではないでしょうか。学校法人「森友学園」への国有地売却問題について2017年2月の衆院予算委員会で共産党の宮本岳志議員の質問に「私や妻がかかわっていたら総理大臣をやめる」と言ってしまったことが、後々大きな影響を与えました。それ以来「首相にあまりしゃべらせるな」という指示が周辺から出ているようです。今回の記者会見からも、責任を追及されることを恐れ、国民にきちんと向き合おうとしない安倍政権の体質が如実に表れていました。それ以上に深刻なのは政治家や政権ときちんと対峙して、おかしなことはおかしいと言わない記者クラブ側の体質です。政治部の記者には、とにかく政治家に気に入られてネタをもらおうと、伝書鳩のようなことをしている人が結構います。

――山本太郎さんのように練り込んだ質問で政権を追い詰めるという意欲は政治部記者には感じられませんね？

望月　彼らの一部は政治家に気に入られ食い込むことが自分の仕事だと思い込んでいるようですが、結局、政治家にいいように使われているだけです。ジャーナリズムに求められる権力監視の機能からほど遠いあり方です。〝御用メディア〟というほかありません。

取材と報道は質問からはじまる

――望月さんは２０１７年６月から３年弱、菅義偉官房長官の記者会見に出席しています。そこで森友・加計学園問題や伊藤詩織さんの準強姦事件、辺野古新基地建設問題など数々の疑惑について質問を続けてきましたが、菅長官は「問題ない」「答える必要がない」と木で鼻をくくったような答弁を繰り返していますね？

望月　最初のころ、菅長官は私の質問にそれなりに答えてくれましたが、そのうちまともに答

取材と報道は質問からはじまります。記者会見というのは何が事実なのかを質問を通じて確認する場です。時の権力が認めた事実以外は質問に含めてはいけないというのなら、記者会見は権力の都合の良い情報を一方的に伝える場になってしまいます。

えなくなっただけでなく、質問制限もはじまりました。２０１７年6月8日の会見ですが、菅長官に何度も同じ質問をしたら、司会の広報室長が「同趣旨の質問は控えてください」と注意してきました。それに対し「きちんとした回答をいただけているとは思わないので繰り返し聞いています」と即座に言い返しました。それまでそんなことを言う記者はいなかったので長官も官邸側もかなり驚いたことでしょう。もちろん記者クラブ側もです。突然新参者が紛れ込み、それまで守られてきた和をかき乱したわけですから。

――　官房長官会見での質疑はフェイスブックやツイッターなどネット上で流れているので、関心のある市民の目に止まるようになりました。政治部記者の多くが無言でパソコンのキーボードをたたいているなか、大きな声で質問する望月さんの姿は印象的です。官房長官会見に出席するようになったきっかけは？

望月　２０１７年2月に森友学園が購入した国有地の土地売却をめぐる経緯についてのスクープ記事が朝日新聞に掲載されました。これを読んで、この問題が財務省や安倍首相夫妻に及ぶ可能性があると思い、社会部の森友学園問題の取材班に自分から手を挙げて入れてもらいました。さらに、3月には加計学園問題に関して「文科省に記録文書」というスクープが朝日新聞に載りました。安倍首相のお友だちが理事長を務める岡山市の学校法人「加計学園」の獣医学部新設計画に関して内閣府が数々の要望を出していたことを記録した文科省の内部文書です。特に驚いたのは内閣側が発したとする「これは総理のご意向だ」という文言でした。加計学園の獣医学部新設をめぐっては、土地代金37億円と校舎建設費の補助金64億円の計約１００億円が、今治市から加計学園に流れることになっていました。政府の国家戦略特区を使っての計画のなかで、「総理のご意向」文書が暴露されたことで、安倍首相絡みの疑惑へと発展する可能性が出てきました。少なくとも、疑惑の背景に首相官邸の人たちの暗躍が見え隠れしていることは間違いありません。

ところが、定例記者会見で菅長官は記者の質問に「怪文書みたいな文書じゃないか」と一刀両断しました。記者からはそれ以上の質問もなく、「こんな重要な問題で一体どうなっているのか？」と驚き、首相官邸のホームページで以前の定例会見の映像を見て再度びっくりしました。質問した記者が菅長官から「ご指摘には当たりません」「問題はないと思われます」と素っ気なく返されると、もうそれ以上突っ込んで質問しようとしません。それまで10数年間、事件を追いかけてきた私にとって、「こんな会見があるのか？」と驚きでした。政治部の記者は社会部と違って現場取材をしないので怒りもわかないのかなと思い、それなら私が代わりに質問しようと思い立ったんです。

――加計学園は安倍首相がお友だちに税金で利益を上げさせていたという大問題です。もし本当なら、「国家の私物化」でしかありません。権力者の機嫌を取り、政治家や官僚にすり寄るだけの政治部の記者にはジャーナリズムは理解できないのでしょう。それに新聞社は縦割り組織ですから政治部のテリトリーを社会部の記者に荒らされるのを嫌がりますよね？

望月　政治部の記者は当事者や関係者に直接取材せずに、政治家や官僚に話を聞くだけのことが多いので、社会部に比べると疑惑に対する怒りの温度差があるのかもしれません。会見に出てコメントを聞くことが仕事だと割り切っている人もいます。長官の言葉を聞いても、それ以上の疑問が湧いてこないのでしょう。

官邸記者会見に出席するうちに、私が手を挙げても報道室長がその前で質問を打ち切るようになりました。２０１７年８月末あたりのことです。あちこち聞いてみると、官邸側が記者クラブの幹事社を通じて「首相の番記者はこれまで通り質問させるが、望月の質問は制限させる」という趣旨のメールを送っていたことが分かりました。それまでは、菅官房長官の答えは「問題ありません」「ご指摘には当たりません」ばかりでしたが、とりあえず挙手をすれば質問させてくれていました。それが私だけ質問数や時間が制限されるようになり、ひどいときには１問しか聞けないこともたびたびです。

——望月さんを狙い撃ちにしている感がありますね。そういえば、官邸は内閣記者会に申し入れ書を出し、望月さんに対する質問制限の協力を求めていましたね？

望月　２０１８年12月28日の上村秀紀報道室長の名前で内閣記者会あてに出された申し入れ書です。私の質問に事実誤認があったとして「東京新聞の当該記者による度重なる問題行為については、……貴記者会に対して、このような問題意識の共有をお願いする」というものでした。

実はその２日前に、私は記者会見で辺野古の埋め立て現場での赤土使用の疑いについて質問しました。民間業者の仕様書には「沖縄産の黒石岩《がん》ズリ」を使用するとあるのに、埋め立て現場では赤土が広がっている、政府としてどう対応するのか、という質問です。埋め立てがはじまって以降、沖縄県職員や市民が埋め立てに使用する土砂に赤土が混じっている疑いがあるとして防衛省沖縄防衛局に立ち入り検査と土砂サンプルの提出を求めています。国は「必要ない」の一点張りでしたが、その根拠を示そうとはしませんでした。それで仕方なく記者会見で質問した次第です。菅長官の答えは「法的に基づいてしっかりやっている」でした。私が「政府として防衛局にしっかりと確認をさせ、仮に赤土の割合が高いのなら改めさせる必要があるのではないか」と追い打ちを掛けましたが、長官の返答は「いま答えた通りです」と素っ気ないものでした。翌2019年2月には辺野古の米軍基地建設問題をめぐって賛否を問う県民投票が行われることになっていました。官邸側は神経をとがらせていたのでしょう。この質問が菅長官の逆鱗に触れたみたいです。この記者会見の後、菅長官は首相の下へ走り、いつものように番記者のぶら下がり取材に応じなかったそうです。

取材と報道は質問からはじまります。記者会見というのは何が事実なのか質問を通じて確認する場です。「事実に基づかない質問はだめ」というのなら、何が事実なのか、その根拠を明らかにすべきです。時の権力が認めた事実以外は質問に含めてはいけないというのなら、記者会見は権力の都合の良い情報を一方的に伝える場になってしまいます。

社を超えた連帯の必要性

――この申し入れ書の問題にはまだ続きがありますね?

望月　翌年2月、国民民主党の衆議院議員が国会で菅官房長官にこの申し入れ書について質問したんです。「東京新聞の記者による質問についての事実誤認というのはどういうことなのか?」という質問に対し、菅長官は「取材じゃないと思います。決め打ちです」と声を荒らげ、「事実と異なることを記者会見で、それも事前通告もないわけですから」と顔を紅潮させて言い切りました。事実と異なる質問を決め打ちで、しかも「取材ではない」とまで言われたんです。「おまえは記者じゃない」と言われたも同然です。長官のあまりにも大人げない対応に本

一部の記者は権力側に日々近づいて取材しているので、どうしても引き寄せられてしまい、官邸とのパイプの太さを競っているようなところがあります。情報をたくさん取ってくるうえで、権力者とつながっている方がメリットが大きいのでしょう。

当に驚きました。この問題は朝日新聞が社会面の特集記事で大きく取り上げ、さらに共同通信が大型記事を配信し、全国13の新聞に掲載されました。なかでも北海道新聞、沖縄タイムス、琉球新報は社説で「言論弾圧だ」と官邸に対する厳しい内容の記事を書きました。全国で市民や弁護士、有識者らから官邸に対する抗議や怒りの声が大きくなりました。その間、沈黙を守っていた東京新聞ですが、ようやく2月20日に検証記事を掲載しました。記事では私が記者会見で質問するようになって以来、官邸から届いていた9通の申し入れ書を時系列で表にし、上村報道室長による質問妨害の数々を明らかにしました。

——それでも望月さんに対する質問制限はいまでも続いているのですね？

望月　最近は、記者会見の時間を20分以内に制限したいらしく、他社の記者や番記者でさえ質問することができなくなり、記者クラブの幹事社に抗議した社もあったと聞いています。アメリカではトランプ政権に対して批判的な質問でも記者の手が上がらなくなるまで答え続けるそうです。修正憲法第1条で「報道の自由」の擁護を明記している国とは随分違いますね。

ところで、今年の1月22日の記者会見で「2問お願いします」と食い下がったところ、長官が「1問でいい」と言ったので、「不当な扱いを受けている」と抗議しました。すると番記者側から「記者会とのルールに則ってやってくれ」と言われました。以前、他社の記者から「長官が不機嫌になるから望月の質問はほどほどにしろ」という話を記者クラブ内で聞いたことがあると言われました。とにかく、他社の目にも菅長官の表情から「望月だけは嫌だ」というのが露骨に表れているそうで、意図的に質問を後回しにし、2問か1問に制限されているようです。そのうえ、番記者との暗黙のルールまであるとしたら由々しき問題です。

実は今年1月、私の質問で長官が機嫌を損ねて、番記者とのオフレコ懇談を拒否することがあったそうです。困った番記者たちが記者クラブの幹事社や東京新聞の番記者側に、私への対応を迫っていたそうです。つまり長官が私の質問を押さえ込むために、番記者とのオフレコ懇談を〝人質〟にしていたのです。記者同士を仲違いさせる巧みな分断策ですね。それに、いまの記者クラブ制度のなかで、政治部記者にジャーナリズムを期待することは難しいと感じます。それだけ圧力も強いのでしょう。東京新聞の政治部記者には感じませんが、一部の他社の記者は権力側に日々近づいて取材しているので、どうしても引き寄せられてしまい、官邸とのパイプの太さを競っているようなところがあります。情報をたくさん取ってくるうえで、権力者とつながっている方がメリットが大きいのでしょう。でも、そのこと自体が、そこから離れてみれば、かなり異様な状況なのではないかと思うのですが……。

――毎日新聞の官邸キャップが望月さんの質問スタイルを批判する記事を書きましたね。この記事によって番記者たちが長官との暗黙のルールによって望月さんの会見場からの排除を望んでいることが市民の目にも明らかになりました。

望月　記者クラブ内部に私に対する批判勢力があるのは確かです。でも、安倍首相の「桜を見る会」の疑惑が発覚して以来、私以外にも菅官房長官に厳しい質問をする記者が増えています。いまは長官も相当参っているのではないでしょうか。というのも、安倍首相が全国一斉休校の要請を決めた際、長官は蚊帳の外でした。これまで政権を支えてきたはずの菅長官と安倍首相との不仲説が流れており、一時は首相候補とまで言われた「れいわおじさん」もいまでは形なしです。菅長官のイライラぶりが記者会見での〝望月嫌い〟に反映しているのかもしれません。

――望月さんの質問に対して菅官房長官は「負けたくない」という意地みたいなものを感じさせるときがありますね？

望月　確かに謝らないし、負けを認めませんね。安倍首相もそうですが、おそらく非を認めることが求心力の低下につながり、政治的にマイナスだと思っているのでしょう。私が「2問お願いします」と言っても「1問だけ」と言うのも同じです。内閣記者会の記者でさえ、「あんなに意地を張らなくても……」とため息をついていました。

　秘書が公選法違反容疑（運動員買収）で逮捕された河井克行氏ですが、彼が法務大臣になったとき、週刊誌にパワハラとセクハラ疑惑を書かれました。記者会見でそれについて質問が出ましたが、菅長官はいつも通り「問題ない」と答えました。その後、河井氏が買収問題で法務大臣を辞任した際、私が「（大臣就任時には）『問題ない』と言っていたが、いまは評価が分かれているのか？」と質問すると、「私がいつそんなことを言った」とキレはじめました。しかも「いつ、どこで、誰が？」と子どもみたいにムキになりました。そのとき、男性記者に対するのと違うな、これは私への嫌悪感とともに、心の中に女性蔑視があるのではないかとも感じました。

　記者会見での質問制限の問題は私に対する個別事案というよりは日本のメディア全体の問題だと思います。記者会見での圧力に対し、社を超えた連帯によって抵抗できなければ、近い将来、メディアは権力の前に屈することになるでしょう。私も東京新聞の新聞記者である前に、一人のジャーナリストとして「権力監視の役割」を果たしていきたいと思います。

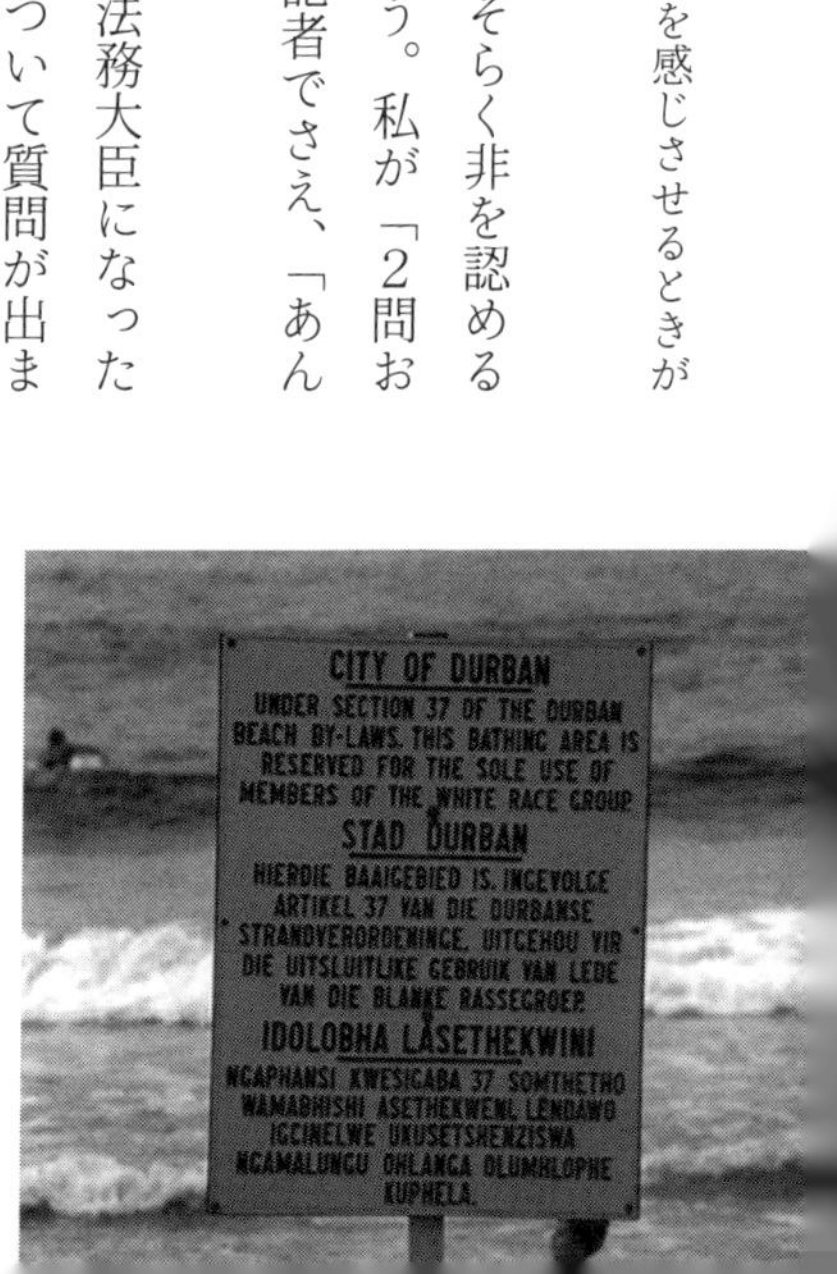

Sign in Durban that states the beach is for whites only under section 37 of the Durban beach by-laws. The languages are English, Afrikaans and Zulu, the language of the black population group in the Durban area. 1989 (https://commons.wikimedia.org/wiki/File:DurbanSign1989.jpg)

闘うジャーナリストの原点

――山本太郎さんは俳優から政治家に転身しました。望月さんもその昔、女優志望だったそうですね？

望月　ちょっと恥ずかしいですが、小学校の卒業文集に「私、女優になります！」と書きました。小学校4年生のときに練馬児童劇団に入団し、発声や台本読み、演技の練習をしました。小さな劇団に所属し、芝居に熱中していた母の影響だと思います。小学校に上がったころから、母は毎週のように「劇団青い鳥」や「夢の遊眠社」「劇団黒テント」など小さな芝居小屋に連れていってくれました。小さな舞台では演じている俳優と観客との一体感があり、熱気がビシビシ伝わってきました。子どもにとって難しいセリフもありましたが、演技にぐいぐい引き込まれていく感覚が大好きでしたね。自分の演劇で一番記憶に残っているのは、6年生のときに「アニー」の主役を演じたことです。中学2年生のときには東京俳優生活協同組合（俳協）という芸能事務所に特待生として入れてもらいました。だから、小中学校時代の友人は私が舞台の道を歩んでいくものと思っていたはずです。

――山本さんは脱原発の高円寺でのデモがきっかけで政治活動に入ったそうですが、女優をめざしていた望月さんがジャーナリストをめざすようになったのはなぜですか？

望月　やはり中学2年生のときですが、母から一冊の本を読んでみないかと薦められました。フォトジャーナリストの吉田ルイ子さんの『南ア・アパルトヘイト共和国』（大月書店）です。人種差別政策が合法的に推進されている南アフリカの日常を伝えた本でした。黒人が白人と当たり前のように分離され、人間として扱われていない状況が綴られており、想像以上に衝撃を受けました。私も吉田さんのように世界を歩き、社会の矛盾や困っている人の姿を伝えられる

学習しないということはある意味、無敵です。つまり「1+1=2」と言われても、「いや、3だ」と言い続けられる強さです。「関係ない」「問題ない」と言い切る厚かましさこそが長期政権の秘訣なのだと思います。

ような仕事に就きたいと思うようになりました。それに、父は全共闘世代で学生運動を経験しており、カメラの専門学校を出た後、業界紙の記者をしていました。私が中学生か高校生のときに「中小企業のなかから社会を見ているようで、おもしろいよ」と話してくれたことがあります。いつしか記者という仕事に対する憧れの思いが強くなっていたようです。

――記者としての第一歩は東京新聞の千葉支局でしたね？

望月　最初の仕事は殺人事件の被害者の遺族からコメントを取ってくることでした。アパートの階段を登って被害者宅の呼び鈴を鳴らすと、ドアを開けてくれた遺族から「言いたいことはありません」と消え入るような声が返ってきました。相手の気持ちが痛いほど分かったので、それ以上、質問を継ぐことができませんでした。支局に電話で「何も聞けませんでした」と伝えると、「それじゃだめだ、もう一度聞いてこい」と叱られました。相手が嫌がることをなぜ聞かなければいけないのか、なんて仕事に就いてしまったのだろうと後悔の念で胸がいっぱいになり、自家用車のなかで泣いたのを覚えています。それでも、警察署担当として事件を追いかける仕事にはやりがいを感じました。県警の幹部が早朝ジョギングをしているというので、公園の入り口で待ち伏せし、一緒に走ったこともあります。そうやって事件関係の情報を入手しようと努力しました。

――私が社会部のデスクだったときに、千葉支局にいた新人記者の望月さんが毎週のように特ダネ記事を書いてくるので、驚いた社会部長代理からどんな記者なのか見てこいと命じられたことがあります。支局に行くとデスクや記者が集まっていましたが、肝心の望月さんがいない。夜遅くなってやっと夜回りから帰ってきたと思ったら、テーブルの上のお寿司をつまんで、再び「行ってきまーす」と支局を飛び出してしまいました。

まるで鉄砲玉でしたね？

望月　千葉支局時代は昼夜を問わずに駆け回っていた気がします。あるベテラン捜査員に「自分が新聞記者に情報を話すかどうかは、その記者がどれだけの情熱を持って本気で考えているかだ」と言われたことがあります。その後、横浜支局や経済部、社会部でも取材を続けましたが、熱意を持って取材対象者に迫り、納得いくまで質問するというスタイルは変わっていません。官房長官の記者会見では相変わらず、長官から「問題ない」「答える必要はない」を繰り返されています。なかなか質問で真実に迫るのは並大抵のことではありません。でも、精一杯、目の前の事案に情熱をぶつけて、不正を白日の下にさらしたいという気持ちは新人時代とまったく同じです。

――望月さんはたくさんの事件や疑惑を取材していますが、特に印象に残っている出来事はありますか？

望月　同じ女性として、ひとりの人間として、抑えられない気持ちがこみ上げてきた取材があります。フリージャーナリストの伊藤詩織さんのインタビューです。２０１７年６月、初めて官邸記者会見に参加したその日の午後、都内で同僚の女性記者と一緒に伊藤さんに会いました。ご存じのように、彼女は２０１５年にＴＢＳの元ワシントン支局長だった山口敬之記者から「性的暴行を受けた」と警察に告発しました。警視庁は準強姦罪で詩織さんの告訴状を受理し、山口氏の逮捕状を取りましたが、捜査員がアメリカから帰国する男性記者を逮捕しようと成田空港で待機していたところ、直前に上層部の指示で逮捕が取りやめになりました。その後、山口氏は書類送検されましたが、嫌疑不十分で不起訴になりました。山口氏は安倍首相に食い込む敏腕記者としてテレビのコメンテーターなどでも活躍していました。不起訴処分になる１ヶ月ほど前には安倍首相をヨイショする『総理』という本を幻冬舎から出版しています。『週刊新潮』の報道によると、山口氏の逮捕状の執行停止を決裁したのは当時の警視庁刑事部長の中村格氏で、菅官房長官の秘書官を務めたことのある官邸に非常に近い警察官僚でした。一部記者たちの取材にも「私が逮捕の見送りを判断した」と認めています。

山口氏への刑事事件での不起訴を受け、２０１７年5月に詩織さんは検察審査会に審査を申し立て、司法記者クラブで顔と下の名前の「詩織」だけを出して記者会見を開きました。私たちのインタビューはその8日後でした。詩織さんは、時折、言葉を詰まらせ、苦しそうな表情を見せることもありましたが、最後まで私たちの質問にしっかりと答えてくれました。自らが顔と名前を出して告発した理由については「自分が泣き寝入りしたら、同じような性犯罪の被害にあった女性たちが後に続けなくなる」と毅然とした表情で語ってくれました。

取材を終えた私は本当にこの日本で起きたことなのかと呆然としてしまいました。家に帰ってからも詩織さんのことが頭に浮かんで寝付けない夜を過ごしました。加計学園の獣医学部新設問題に関して官邸の要望に「行政がゆがめられた」と告発会見を開いた文部科学省前事務次官の前川喜平さんの勇気ある姿と詩織さんの毅然とした表情が重なり、胸に突き刺さったようでした。巨大な国家権力を前にたったひとりでも闘おうと決意したおふたりの姿を見て、黙っているわけにはいかない、自分も闘うしかないと意を強くしました。それからは、詩織さんと前川さんの勇気とエネルギーに背中を押されるように官房長官の記者会見に出るようになりました。

「学習しない能力」と市民型ジャーナリズムの可能性

―― 安倍政権が「安倍一強」といわれるほど強い権力を持ち、長期政権を維持できている背景にはメディア・コントロールのうまさがあるのではないでしょうか？

望月　政権にとって都合の良いことを報道してくれるメディアには快く取材に応じますが、政権に批判的なメディアには冷たい対応をとるというのが安倍首相のスタイルです。朝日新聞と系列関係にあるテレビ朝日はかつて安倍政権に批判的だとみられていましたが、早河洋会長が安倍首相の食事会にたびたび招かれるうちにすっかり安倍応援団になってしまったとも聞きます。以前はテレビ朝日の報道番組に出ていた浜矩子さんら辛口コメンテーターが出演しなくなりましたし、「報道ステーション」で「I am not ABE」を宣言した元通産官僚の古賀茂明さんはテレビ朝日から絶縁されました。そのほか、ＴＢＳの「ＮＥＷＳ23」では毎日新聞の岸井成格さんが、ＮＨＫの「クローズアップ現代」では国谷裕子さんら政権にきちんと物申す記者が相次いで降板しています。おかしなことはおかしいと言える気骨のあるコメンテーターやジャーナリストが次々とテレビの報道番組から姿を消しているのは尋常なことではありません。安倍政権に批判的な報道が少なくなれば、多くの国民は新聞よりテレビを見ますから、「安倍政権には問題がなさそうだ」と信じてしまい、支持率も下がらないことでしょう。

―― テレビ局の変質ぶりはどの時点からはじまったのでしょうか？

望月　２０１４年12月の総選挙の一ヶ月前に、安倍首相の側近中の側近である萩生田光一副幹事長（当時）が在京テレビ各社の編成局長・報道局長あてに「選挙時期における報道の公平中

山本さんの政治姿勢には「本気度」を感じます。それが弱者の立場に立った発信を際立たせているのでしょう。街頭演説を聞いたとき、市民に語りかける言葉の力に感心したことがあります。「ああ、この人、命を掛けているな」と。

立ならびに公正の確保についてのお願い」という要望書を番記者に渡したことがあります。その文書のなかには「過去において、あるテレビ局が政権交替を画策し偏向報道を行った」とまで書かれていました。「公平中立」を盾に「自民党に不利な報道をするな」という選挙報道への明白な介入ですが、政府に抗議するテレビ局は皆無でした。２０１６年2月には、高市早苗総務大臣（当時）がテレビの報道に関して「放送事業者が放送法の規定を遵守しないならば行政指導を行う場合もある」と発言しています。電波法に則って放送許可を出しているのは総務省ですから、放送内容によっては「電波を止めるぞ」という明らかな脅しでした。

―― 最近でも、政府は新型コロナウイルス感染症をめぐって政府に批判的なコメントをしたテレビの出演者にツイッターで反論するなど〝言論封殺〟めいた行動を強めています。国会では小野田紀美参院議員が「事実と違う報道で不安を煽っている。（メディアに）罰則など検討を」と言い出しました。

望月 自民党タカ派議員がことあるごとに口にする「メディア規制」は既にはじまっています。医師の上昌広さんが「（コロナウイルス感染問題で）テレビ番組に出演した時、『安倍政権の批判は避けて欲しい』と注意されました。上層部が嫌がるそうです」とツイートしましたが、安倍政権によってテレビ報道は萎縮させられてしまいました。さらに、政府や自民党は一斉にツイッターで、テレビ朝日の情報番組「羽鳥慎一モーニングショー」を名指しし、コロナウイルス感染拡大についての政府の対応の遅れやマスク供給についての出演者の発言を否定しました。レギュラー・コメンテーターの玉川徹さんが「こんな時期に事実確認しないで正しくない日本語を使って厚労省が（この番組を）名指ししたのか」と批判しましたし、厚労省の指摘は事実ではありませんでした。コロナウイルス感染を利用した明らかな〝言論封殺〟です。

私に対する〝質問制限〟も〝言論封殺〟も根っこは同じです。記者会見の場合は番記者制度が、テレビ番組への圧力ではテレビ局自身が、それぞれ安倍政権に協力し〝言論封殺〟に加担しているともいえます。都合の悪い意見や批判は受け付けず、仮に間違ったことをしてもそれを認めることなく、開き直って強弁するのが安倍政権のいつものやり方です。私はそれを「学習しない能力」と言っています。学習しないということはある意味、無敵です。つまり「1＋1＝2」と言われても、「いや、3だ」と言い続けられる強さです。辺野古米軍基地建設現場への土砂投入でも「あそこのサンゴはすべて移した」と平気で嘘をつきました。「桜を見る会」の問題でも「安倍事務所が、安倍事務所が……」と意味不明の答弁を続けて野党議員をあきれさせました。まさに「1＋1＝3」と強弁することで相手をあきらめさせるのが安倍首相の〝学習しない強み〟でしょう。森友・加計学園、「桜を見る会」、東京高検検事長の定年延長などいかなる疑惑や問題が持ち上がろうが、不祥事や汚職で何人、大臣が辞めようが、「関係ない」「問題ない」と言い切る厚かましさこそが長期政権の秘訣なのだと思います。官房長官の記者会見での回答と相通じるものがあります。これからも山本太郎さんのようにあきらめずに納得がいくまで質問していくしかありません。

――日本の新聞・テレビは会社ごとに壁があり、官房長官の記者会見を見ても分かるように連携して権力に立ち向かうという姿勢はあまり感じられません。市民に寄り添う新しいメディアの必要性を感じますね？

望月　私の記者会見での質疑の模様もそうですが、新聞やテレビが報道しなくても、さまざまなニュースや出来事はあっという間に、フェイスブックやツイッターなどSNSで流れてしまう時代になっています。日本では、マスメディアに代わる報道機関がまだまだ発展途上だと思

〔注1〕調査報道NPO　非営利組織が運営する調査報道専門のニュースサイト。商業メディアに失望した財団や個人から寄付を集め、調査報道を通して市民の政治参加や社会参加を促進している。2007年創設の「プロパブリカ」（ニューヨーク）は2010年と2011年にピュリツァー賞を受賞。1989年開設の「センター・フォー・パブリック・インテグリティ（CPI）」（ワシントン）は米国調査報道NPOの草分け的存在。「パナマ文書」の報道などで知られる「国際調査報道コンソーシアム（ICIJ）」はCPIのプロジェクトとしてスタートした。土田修著『調査報道　公共するジャーナリズムをめざして』（緑風出版）を参照。（土田）

います。ニューヨーク・タイムズ前東京支局長のマーティン・ファクラーさんからうかがいましたが、アメリカではネット系のニューメディアが登場し、多くの国民の支持を集めているそうです。

―― アメリカではリーマンショック以来、特に地方の商業メディアが衰退し、代わりにネットで記事を配信する調査報道NPO〔注1〕が生まれました。その筆頭が、ハリケーン「カトリーナ」をめぐる調査報道でピュリツァー賞を受賞した「プロパブリカ」ですね。

望月 ファクラーさんを含め海外メディアの記者から「日本ではアクセス・ジャーナリズムが異様に発展しているが、なぜ市民型ジャーナリズムは広がらないのか？」とよく聞かれます。アクセス・ジャーナリズムというのは、当局の発表を聞いて権力に都合の良い情報だけを国民に伝えるジャーナリズムのことです。記者クラブ制度の問題もありますが、われわれ新聞記者一人ひとりに突きつけられた問題ととらえ、その答えを真剣に考えていくしかありません。

それに、日本にも非営利の調査報道メディアとしては「ワセダクロニクル」がありますし、良質なニュースサイトをめざす「ハフポスト」「ビジネス・インサイダー」などネット系ニューメディアも次々に誕生しています。確かに取材体制では既存メディアに及びませんが、新聞やテレビとの連携が進めば、これから伸びる要素はあるのではないかと思います。ネットでは、詩織さんの事案のように既存メディアが扱いにくい問題を書き込むことができるというメリットもあります。政権によってメディアが萎縮し、〝言論封殺〟と言えるような状況になっているとしても、SNSやネットメディアによって、記者と読者が双方向で問題意識を共有することができる時代です。一人ひとりの記者が社会的不正に対して声を上げていけば、いつかその

〔注2〕「葬式パフォーマンス」　２０１５年9月、参議院特別委員会で安保法案が強行採決されたとき、質疑打ち切りに抗議した野党議員が委員長席に詰め寄り大混乱するなか、山本太郎は手元の紙に「自民党が死んだ日」と書いて頭上に掲げた。さらに本会議の採決時に喪服を着て一人で牛歩を行い、壇上で数珠を手に焼香のまねをして安倍首相に礼拝した。この行為で参議院議長から厳重注意を受けた山本は「ルールを無視されて民主主義をぶち壊されてしまったという気持ちからあのような振る舞いをした」と反論した。(土田)

声は連鎖を生み「社会変革」につながるものと信じています。

いま一番怖いのはれいわ新選組

——山本太郎さんについてどのような印象をお持ちですか?

望月　山本さんの政治姿勢には「本気度」を感じます。それが弱者の立場に立った発信を際立たせているのでしょう。若者、非正規雇用や失業中の人、それに仕事があっても高い住宅費を払えない低所得の人たちへの視点です。とにかく求心力のある人ですね。山本さんにはやはり斬新さを感じます。立憲民主党と国民民主党の合流のやりとりをみていても「本気度」がいまいち感じられません。山本さんのような新しい空気が入らないと世間の注目は集まらないのではないかとも思います。以前は、安保法制の採決のときに山本さんがやった「一人牛歩」と「葬式パフォーマンス」〔注2〕を見て、「パフォーマンス性の高い人だな」と思っていました。でも、地方で山本さんの街頭演説を聞いたとき、市民に語りかける言葉の力に感心したことがあります。「ああ、この人、命を掛けているな」と、政治家としての本気度を感じたからです。北海道から沖縄まで巡回した「れいわが始まる　山本太郎全国ツアー」は、どこでも多くの聴衆を集めました。山本さんは「どぶ板を踏んで回る」という小沢一郎さんの人心掌握術を学んでいるのかなとも思います。

——山本太郎さんの発言は若者にもアピールしていますね?

望月　10代、20代の無党派層を掘り起こしていますよね。大学で講演したときに「以前は政治

山本さんは安倍政権を直接批判しません。代わりに、安倍政権を支えている背景的な構造やシステムを批判しています。貧困や格差の構造を生み出している元凶にメスを入れ、変えなければならないというのが山本さんの問題意識です。

に関心がなかったけど、山本太郎さんの話を聞いて政治に目覚めた」という学生がいました。たまたま出くわした山本さんの街頭演説に「面白そうじゃない」と共感したそうです。いろいろ批判はあるでしょうが、「消費税ゼロ」を訴える政策など、妥協しない姿勢が若者の心に響いているのではないでしょうか。「れいわ新選組」という党名にしても、分かりやすい旗印だと思います。最初は「なんで年号なの？」と疑問を感じましたが、元号が変わったばかりで誰もが忘れられない名前ですよね。新しい党をつくっても見向きもされないことが多いので、新党として認知されることは重要なことです。山本さんのひらめきですね。

――山本太郎の政治的主張で注目していることはありますか？

望月　昨年の参議院選挙の際に気が付いたことですが、山本さんは安倍政権を直接批判しません。代わりに、安倍政権を支えている背景的な構造やシステムを批判しています。例えば、小泉政権時代に担当大臣として郵政民営化を行い、「構造改革」と「規制緩和」によって非正規雇用システムを生み出した竹中平蔵氏です。現在労働者の4割が非正規雇用で、不安定な生活を強いられています。竹中氏自身は労働者派遣業大手のパソナグループの会長です。安倍政権下では内閣府・国家戦略特区の諮問会議のメンバーでもあります。貧困や格差の構造を生み出している元凶にメスを入れ、変えなければならないというのが山本さんの問題意識です。仮に規制撤廃が必要だとしても、その規制撤廃によって生み出されるものが、加計学園の獣医学部新設だったりしたら、新たな利権を生みだしているだけです。本当に救済すべきところにお金が回っていません。安倍政権のなかで取りこぼされている問題に焦点を当てるのが山本さんの戦略です。

―― 山本太郎さんの政治的主張についてはどう思われますか?

望月　例えば、「消費税ゼロ」は戦略的にインパクトがあるし、非正規労働など不安定雇用の人の多い時代ですから、大衆的に支持を集めやすい政策なのではないでしょうか。昨秋の消費税増税後、経済界からさらなる増税を求める声が上がりましたが、自民党のあるベテラン議員は「山本さんが批判しているように、次の増税をやったら大変なことになる。私は踏み切らない」と、わざわざ「山本さん」を引き合いにして説明していました。山本さんには大衆やメディアを引きつけるカリスマ性と斬新さがあります。その議員はそこに注目しており、「いま一番怖いのはれいわ新選組だ」とも話していました。「消費税ゼロ」をストレートに主要政策として打ち出せるのがれいわの強みです。そこに人心を動かす力が生まれてくるのでしょう。コロナウイルスの感染拡大や中国・韓国からの入国規制などで日本経済は大きなダメージを受けそうです。立憲民主党も格差や非正規雇用の拡大を問題視していますし、れいわ新選組と政策的な一致点はあると思うのですが、立憲民主党は「消費税減税」に踏み切れそうにありません。立憲民主党がグズグズしているうちに、自民党の有志議員から「消費税減税」を言い出す人が出てきましたね。

―― 山本太郎さんは総理大臣になれると思いますか?

望月　現在の野党の状況では無理そうですが、次の選挙でれいわ新選組が議員数を増やし、野党連立で誰をトップに据えるのかという事態になれば可能性はあると思います。本人もその意気込みでやっていますし、そうでなければ人は付いてこないでしょう。「大臣ではだめだ、総理大臣になるしかない」という妥協的な要素のなさが山本さんの最大の魅力でしょう。日本の政治とメディアに変革を促すには、嘘のない真っ当な政治活動と、それを支える公正な報道が必要です。そのため、私も記者として頑張りますし、山本さんには早く政界に復帰して、もう一度ひと暴れしてほしいですね。

（取材・写真：土田修）

望月衣塑子
（もちづき・いそこ）
１９７５年、東京都生まれ、慶應義塾大学法学部卒。東京新聞記者。千葉、横浜、さいたま支局の警察担当や東京地検特捜部担当などを歴任。森友・加計学園問題などの取材の一環として２０１７年6月から菅義偉官房長官の記者会見に出席。同年、平和・協同ジャーナリスト基金賞奨励賞受賞。著書に『武器輸出と日本企業』『新聞記者』（ともに角川新書）、共著に『追及力――権力の暴走を食い止める』（光文社新書）、『「安倍晋三」大研究』（ＫＫベストセラーズ）など。『新聞記者』を原案とする映画（藤井道人監督）は、第43回日本アカデミー賞で作品賞・最優秀主演男優賞（松坂桃李）・最優秀主演女優賞（シム・ウンギョン）の3冠に輝いた。

INTERVIEW

(6)

TADASU MATSUO

松尾匡

「生きているだけで価値がある」に行き着くための経済学

2020年、アメリカ大統領選挙の序盤で民主社会主義者のバーニー・サンダースが目覚ましい支持を集めている。30年前、こんなことが21世紀のアメリカで起こるなんて誰が想像していただろう。冷戦終結で左翼がコンパスを失った30年前から、日本の左派陣営は何を試行錯誤してきたのか？　答えは歴史の中にあり、現在の政治の困窮と迷宮にあり、もちろん未来にある「本来そうであるべき社会」に見出せる。

なぜ山本太郎の経済政策は批判されるのか？　それでも多くの人を惹きつけるのはなぜなのか？　山本太郎の経済政策の入り口となり、ベースを提供した松尾匡教授に、その詳細をうかがった。

安倍政権のやってきた経済政策とは

――安倍政権の経済政策は、金融緩和をしたり、財政出動をしているかと思うところもあったり、それからネオリベ的なところもある。どのように捉えるのが正しいのでしょう？

松尾　たしかにすごく複雑で、あるひとつの筋の通った考え方でやってきているものではないと思います。まず安倍さんの個人的な利害、作戦、思惑がある。つまり改憲です。憲法を変え、戦後民主主義に代わる新しい体制を作って歴史に名を残すこと、それが安倍さん個人の大きな野望でしょう。それがどの程度実現できたかということがあり、そのときどきの状況に合わせて、ある程度諦めたりしていることもあると思いますが、改憲までは何かの形でやっておきたいということに関してはまだ変わっていないと思います。そのためには選挙で圧倒的に勝たなければいけない。改憲勢力三分の二を押さえ、国民投票に持っていかなければいけない。経済政策はその目的のために位置づけられている――それがベースにあることだと思います。選挙に勝つためには、みんなが「景気がいいね」と思うのがいちばんいい。民主党政権時代には不況がひどくてデフレで失業していた人もたくさんいたわけで、そういう人びとに「昔と比べて良くなったね」という気持ちを与えていく。他方でやはり財務省の力というものは強大で、政策ごとに妥協しなければいけないし、力を借りてやることも多くなるので、財務省と本格的に闘うことは難しい。財務省的にはやはり消費税を上げていきたい。なるべく財政支出が出ないように緊縮していこうという財務省側の考えを受け入れつつやってきたと思います。

基本的には日銀にお金をたくさん作らせる金融緩和ですね。これはある程度円安に持っていくことができて、輸出企業が大変潤っている。さらにそれに伴い輸出産業向け設備投資が起こってくることにより景気を維持することはできると思うんです。しかもこれには財務省も文句を言わないので続けやすかった。それに対して、第二の矢と掲げた財政出動に関しては財務省が嫌がる。ですから最初の1年間はガッと増やしたけれど、それだけになりました。このときの中心は旧来型の公共事業ですが、それを、日銀の量的な異次元緩和といわれるものと同時にやったことで、民主党政権時代とは景況感が変わった。現実にそれまで失業していた人が就職できるようになったり、派遣でも少し条件のいいところにかわれたり、ということがあった。そのイメージが刷り込まれて、そのあと自民党に票を入れていこうという人が多くなったと思うので、最初にガンとやってイメージを作ったのはうまい作戦でしたね。

でもその後、財政出動は基本的にはしていない。社会保障は高齢化が進むと自然に増えていくのですが、そこを抑え込もうとするので、いろんなところで緊縮になっていると言えると思います。たとえば大学に対するお金の使い方などは削減、削減ですよね。その上に消費税を上げた。これで個人の消費需要は減りました。3%上げたときには3%減っている。個人消費が停滞している上に、財政も緊縮なので、内需的に抑え込まれて停滞しているということです。基本的には金融緩和で円安になったことで、外需、輸出産業が儲かりました。輸出している大きな企業が儲かりました。でも多くの全国の企業は儲かっていません。そういう状況です。

―― いまの日本政府は、あるいは世界的な流れかもしれませんが、個人営業の店がなくなることは大きな問題とは思っていないんじゃないかと思うのですが。

欧米と比べて給与格差は全然たいしたことないんです。でも日本の大企業を支配する人たちは、会社のお金、財産を自分の私的な目的のために利用することができる。個人の所得で計ってもそれは出てこないけど、実はすごい格差があるんですね。

松尾　日本に限らず、新自由主義とはそういう考え方ですね。これからどうなるかという話を続ければ、さっきの話ですが、安倍さんの個人的思惑とエスタブリッシュメント全体とでは一致するところとしないところがあって、エスタブリッシュメント全体が「こう進んでいきましょう」と言っているところは基本、安倍さんじゃなくなったとしても進んでいくと思います。

　ですから、いま人為的に円安にしていますが、日本企業は海外に進出していて、そこから利潤の送金がくるんですね。利潤送金というのは年々多くなってくる傾向にあって、外貨で送金されますので円に替える。そのため円高になる動きが、長期的に圧力としてかかってくる。日本経済の円高圧力はそのように、長期的にかかり続ける体質になっていて、その上に持ってきて、いつかわかりませんが、金融緩和打ち止め、出口という話になってくると、金利が上がりますから、いままでと比べて日本で運用するのが比較的得になるので、これまでと比べて日本に資金が流れてくる。やっぱりそこでも円を買うので円高になる。中期的・長期的には円高の方向、というわけです。

――そうするとどうなるんですか？

松尾　日本で製造業をやることがだんだん不利になります。民主党政権時代の滅茶苦茶な円高の時代、中小企業が追い立てられるように海外に出ていったことがありましたが、そういうことになる。しかし安倍政権がはじまってからも、円安になっているにもかかわらず、ですからこれは追い立てられて仕方なくではなく、東南アジアへの工場進出が爆発的に増えているんです。つまり日本の支配層のある程度の人たちは、ＥＵで一人勝ち状態になっているドイツを成功モデルと見ているのではないかという気がします。なので、東南アジアに進出する。

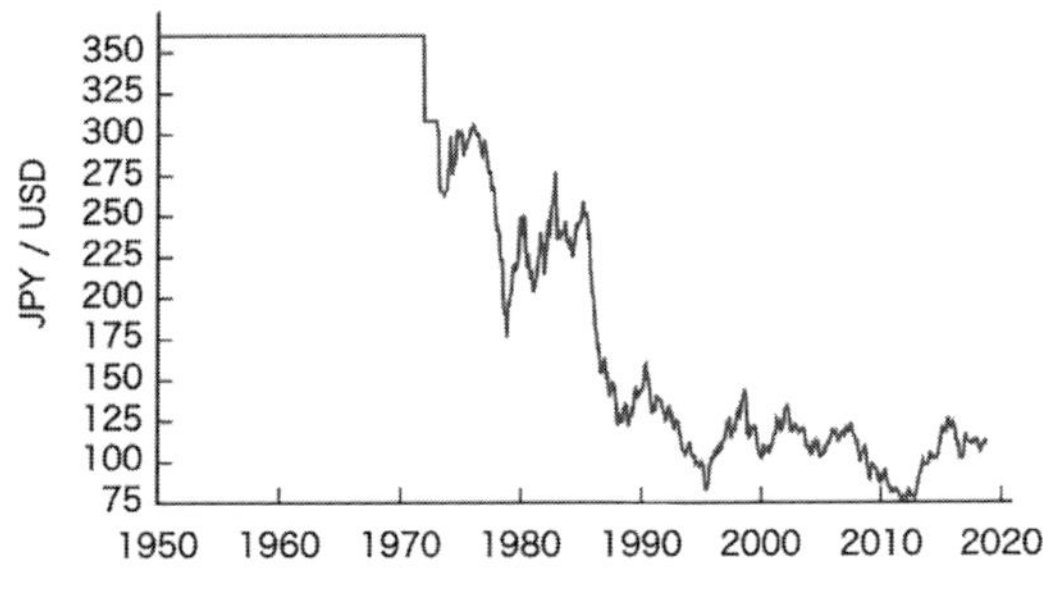

Graph showing U.S. dollar and Japanese yen exchange rate from January, 1950 (http://www.stat-search.boj.or.jp/ssi/cgi-bin/famecgi2?cgi=$nme_a000&lstSelection=FM08)

それから、ＴＰＰ（環太平洋パートナーシップ協定）にアメリカが入らないことになりましたね。それまではアメリカが言ってきているから仕方ないみたいな顔をしてやっていたのに、アメリカが入らなくなった後も、日本政府は推進し続け、自民党も反対から推進に転じました。その内閣府ＴＰＰ関連部局のＨＰに出ている、ＩＳＤＳ条項というのがあって、工場を進出した現地の政府が、当初の条件と違う政策をとったら進出企業は訴えることができるというのがありますよね。最初は日本でも、そんな条項があったら「アメリカに食い物にされる」ということで反対運動が起こったのですが、内閣府ＨＰでは、ＩＳＤＳは進出した日本企業にとって武器になるんだと堂々と書いている。つまり東南アジアに進出した日本企業が、現地政府が環境保護基準を急に強化するとか、労働法基準を急に改正すると言ったときにそれを押さえ込むために使えるんだと。まあ、ようするに地域帝国主義ですが、東南アジアを勢力圏としてそうしたものを作っていこうと言うのが、エスタブリッシュメントのある程度の方向じゃないかと思われる。だから海外に自衛隊を派遣できるようにするというのも、アメリカに言われて仕方なくみたいな顔でやっていますが、実はそうやって進出した企業が現地の人を低賃金でこき使うわけだから、激しい抵抗運動、労働運動が起こるかもしれない、現地駐在が突き上げられる、場合によっては革命が起こって国有化されるかもしれない。自衛隊の海外派遣は、そんなことになったときに日本人の生命財産を保護するために使える、そう考えられるわけです。

――アントニオ・ネグリの「帝国」ですね。

松尾　そうだと思います。円高でも国内の製造業はどんどん出ていきますという話になる。東南アジアでもっと低賃金でやるということになると、普通の製造業はどんどんなくなります。

残るのは、ひとつは、非正規でもっと低賃金の労働者が使えるサービス業です。非常に低賃金なんですけど、円高で東南アジアで作っている激安の生活必需品が輸入されてきますから、低賃金でも食っていけるわけです。円高が進んで必需品が激安になったら、そこに多少消費税をかけてもやっていけます。そうなれば消費税20％になってもやっていけるかもしれません。ひとつはそういう低賃金のサービス業。

―― 最近、百均には「メイド・イン・ジャパン」製品が多いんです。私は国内の工場がすでに東南アジア並みの賃金になっているのではないかと思っていました。

松尾　円安なので。円高時代と比べると国内生産は復活しています。今後円高が進行すると逆になるということですね。製造部門は国外に出ていって、国内には低賃金で非正規のサービス労働ばかりになる。一方で国内に残るのは高付加価値部門です。そっちは高プロ（高度プロフェッショナル制度）でこき使いますという話で、いろいろこの7年でやってきたことが繋がっていることがわかります。これは一般労働者にとって非常にロクでもない体制で、苦しい生活が続く体制でもあるんだけど、それはそれで筋が通って再生産するんです。だからいったんでき上がるとずっと続くでしょうということです。

―― 日本は経済格差が欧米より少ないですよね？　統計ではそう見えていますが。

松尾　統計に出てくるのが個人の所得ということになると、欧米と比べて給与格差は全然たいしたことないんです。でも日本の大企業を支配する人たちは、これは日本企業の特徴なんですが、会社のお金、会社の財産を自分の私的な目的のために利用することができる。

―― カルロス・ゴーンのようにですか！

"The Wealthy Man" Jehan Bourdichon, between 1500 and 1510

松尾　ゴーンさんはやりすぎてあんな感じになりましたけど、あそこまで行かなくてもたくさんありますよね。法律的には違法じゃありませんということなんですが、好き勝手やれる。自分の私的な移動じゃないということで会社の車や、会社の経費のグリーン車でいけるとか、政治献金もできます。そうなると個人の所得で計っても、それは出てこないけど、実はすごい格差があるんですね。

それからもうひとつ、大金持ちというのは労働所得じゃなくて、金融資産から入ってきますよね。さらに、よく言われる話ですが、所得が高ければ高いほど税負担が低くなる。1億円を超えたあたりから低くなっていきます、みたいな話が言われます。あれは分離課税になっていて、金融資産から入ってくる所得への税が優遇されているからですね。金融資産を持っていることによる収入は無茶苦茶多くて、本当の大金持ちはそうです。

――分離課税は問題にされていますね。どうなっていきますか？

松尾　そういう人たちはすぐ外国に逃げますから、国際的に金融資産に対する課税を進めていくということが本当は必要なんですね。法人税も同じですけど、国際的に強調して高めていくという協定を作る必要が根本的にはあって、だから野党はたとえ政権がとれなくても、国際的にそういう運動を起こしていきます、そういうことに取り組みますということを政治的なマニフェストに入れておくと説得力があるんじゃないかと。じっさい税金のダンピングはいけないという動きは世界的に起こっていて、いわゆる左派ポピュリズムの動きのなかで提唱されている。「分離課税を総合課税に」ということも最近よく言われています。もっとも最近では、分離は分離のままで、金融所得の方に課税を重くするということも言われていて、そっちの方が

無駄遣いはやめましょうと市民運動が盛り上がりましたが、そうして作られた世論が、その後の「自民党をぶっ壊す」という小泉政権に熱狂していく。自民党に反対する運動が引き継がれて、小さな政府、新自由主義経済を推進する世論をつくったわけですね。

僕はいいと思います。

なぜ「リベラル」だらけになったのか

――過半数が消費税増税を受け入れてしまうのはどういうことだと思いますか？

松尾　このところだいぶ状況は変わっていますが、過去のリベラル系の政治や言論のリーダーの語り方が「日本は豊かになった」とか「こんなに資源を浪費し、環境を破壊する暮らしでいいんだろうか」「贅沢な暮らし方を見直しましょう」といった言い方でずっと語ってきたと思うんです。

――まったくそうですね。れいわ新選組などが主張する反緊縮政策に批判的な経済学者、たとえば言葉の激しさでいうと金子勝さんが思い当たりますが、そういう人たちは金融緩和や国債発行をすればいまにもバブルが崩壊するという。ただ、そういう批判をする人たちが「小さな政府」を目指しているとも思えないんですが、何が違うのでしょうか？　反緊縮をいう人と同じように、彼らも貧しい人の生活を良くしようと思っていると思うのですが、なぜ食い違うのでしょう？

松尾　金子さん個人を名指ししてしまうと違うかもしれないのですが、たとえば金子先生が論壇にデビューされた90年代はソ連が崩壊してこれまでの左翼――当時は「革新」と言っていたのですが――の考え方が揺らいだ時代でした。当時は「リベラル」という言い方が始まった頃だと思います。つまり、自民党に反対する勢力が向かうべき道はなにか？　金子先生はマルクス経済学が考えていたようなヴィジョンは間違っていて、変わらなければいけないという道を切り拓いた旗手の方ですね。だから当時、古いタイプの左翼からはいろいろ批判があったんだと思いますが、それと闘いながら切り拓いていかれたんだと思います。あの当時は、そういう道を行くべきだといっていた言論人はたくさんいました。当時は、大きな公共事業に反対する運動、たとえば私の身近では神戸空港建設反対の運動などがありました。他にも全国で、大きな公共事業に反対する市民運動がすごく盛り上がっていたんです。そしてそれまでの自民党の政治に対する批判がすごく強まって、自民党政権が一時的に倒れるに至る。それで細川政権ができた。自民党政権の何が批判されていたかというと、いわゆる土建行政でした。予算を使って土建業者を潤わせるような大型開発をし、それで潤った彼らが集票マシンとなって選挙で自民党を応援して、自民党の議員が勝ち上がっていく。いわゆる田中角栄型の自民党のあり方に対する批判が90年代にいちばん盛り上がったんです。

　90年代というのはバブルが崩壊しつつも日本がいちばん豊かだった絶頂期でしたが、その絶頂期に「高度成長期のようにガンガン工事をして成長していくみたいな時代はもう終わったんですよ」という主張が受け入れられた。「終わったにもかかわらず成長を求めたからあんなバブルみたいなことになって崩壊してしまいました。日本はもう十分豊かだから、成長や物質的豊かさではなく、これからは精神的な豊かさや環境のことを考えなきゃいけない。いままでの生き方、生活を見直そう。豊かな、贅沢な暮らしで環境に負荷をかけてはいけません」と、そんな言い方で自民党政治に反対する側の主張があった。経済を拡張させることが悪だということで、経済成長しなくなった現状はむしろいいことなんだ、縮小するのはいいことだと言われたんです。そのときにでき上がったパラダイムというものがずっと、基本的に、自民党を批判する側の思考を縛ってきたというか、ベースにあるんだと思います。

――たしかにあの頃、規制緩和や公務員削減がずいぶん言われていました。

松尾　無駄遣いはやめましょう、大型開発もやめましょうと、市民運動が盛り上がりましたが、その市民運動がけっきょく公務員を減らすということにも流れていった。そうして作られた世論が、その後の小泉改革、「自民党をぶっ壊す」という小泉政権に熱狂していくわけです。皮肉なことに、自民党に反対する運動が引き継がれて、小さな政府、新自由主義経済を推進する世論をつくったわけですね。さらにその次には橋下徹さんに熱狂していくようなことにつながっていったんだと思います。

――それは小泉政権後も変わらず、２０１０年、民主党政権誕生時の支持者の思いもそこからつながっていたわけですよね。自民党的な利権政治をやめようということだったんですから。

松尾　そうです、そうです。民主党というのは、安全保障問題についても他のいろんな問題についても、本来相容れそうにない人たちが集まっていたわけですが、その人たちをつないでいた合意点とも呼べるものは、いまから振り返って考えるとそういうことだったと思いますね。つまり「あの自民党じゃありません」と。「あの自民党ってなんですか」といえば、田中角栄的な利権政治の自民党です。それが民主党のアイデンティティだったと思います。財政を膨らますような方向には反対、というＤＮＡみたいなものが、リーダーの人たちのなかに染み付いているんじゃないかと思いますね。

――しかし最近は田中角栄が再評価され、民主党のなかでもそういうことを言う議員も増えていますね。

松尾　ええ。もうそういうパラダイムが時代に合わなくなったんです。本当は、とっくの昔に

Kakuei Tanaka was inaugurated as Prime Minister on July 7, 1972.
（首相官邸ホームページ　https://www.kantei.go.jp/jp/rekidainaikaku/064.html）

時代に合わなくなっていて、少なくとも今世紀に入って、就職氷河期と言われる頃には、むしろそれは小泉側にとられてしまっているという総括をして、発想を転換すべきだったんだと思います。それができないでズルズルやってきたのがこの間のリベラル、左派だったと思いますね。

具体的な人びとの暮らしのために

――田中角栄再評価についてはどう思いますか?

松尾　結局、いまから振り返ってみると、昔の田舎というのは本当に貧しかったし、その貧しかった田舎にも新幹線を引いたりして、所得を底上げしていくということはやらなければならないことではあったわけで、その上で田中角栄というたたき上げのキャラクターが、民衆の心を摑むということはあったと思います。民衆が実感として、何を要求しているかということに敏感だったと思いますし。

最近、どこかで聞いたのですが、田中角栄さんの秘書の方が山本太郎さんの演説を聞いて「田中角栄みたいだ」と言ったそうなんです。あのころの保守政治家は地元の青年団からたたき上げで政治家になって、人の世話を焼いて、そのことによって押し上げられてきた。だからいつも、地元の支持者である普通の人たちのことが頭にあって、その人たちの暮らしを良くすることを考えて政治をやっている。それが一部の人の「利権」になるんだけど、でも具体的な人の暮らしのために政治をするというのは、それ自体が政策です。昔は自民党もそうだったし、

かわいそうだから人権を守らないといけません、と上から目線で言う高尚な話ではなく、自分よりも境遇の悪い人をほったらかしにしておけばそっちに雇用を奪われますよ、自分が損をするからそいつの境遇を上げなければなりませんよ、ということなんです。

革新側も労働組合の書記から始まって、人の世話を焼いて、周りから押し上げられて政治家になって、支持者の生活の向上のために働く。革新側の政治家もそうだったと思うんです。

そのあと小選挙区制の時代がやってきて、具体的な人の暮らしのために、具体的な政治をしますということが汚いことと言われ、そこから切り離された、たとえば安全保障の問題などの天下国家論をやるのがクリーンな、本来あるべき政治なのだと言われた。結果として、生身の人間とは関係のないところで政策が争われてきた。平成時代の政治のいちばん悪いところだったと思います。

――じっさいは民主党も政権をとったときには年金など具体的なお金の話で支持を伸ばしたんでしたよね。

松尾　ええ。本当に支持を集めるというのはそういうところからなんですね。

――ただ、自民党政治の身内主義が嫌だったし、それは安倍政権のいまも変わっていません。あのころ人びとがうんざりしていた「自民党政治」とはやはりそこだったのではないでしょうか。

松尾　そうですね。そもそも90年代の改革は、本来はそういうところをなくそうとしていたわけです。えこひいきというか、権力を持った人に気に入られた人が得をするとか、権力を持った人が恣意的な裁量で優遇する人を決めて、選ばれた人は得をする。当時は強い官僚が権力を持っていて、その官僚に取り入って、いい思いができる人とそうでない人ができるということがあった。本来はそういう部分が批判されていた。だから官僚の裁量権を減らすために規制緩和を、ということだった。なのに、その部分が忘れられ、民間企業みたいに競争するのがいいんです、政治や役所も民間企業のようになるのがいいんです、というようになってきてしまった。どこかで解釈がおかしくなり、そういう解釈が世の中に流布されてしまった。橋下さんなんかは官庁のあるべき姿をブラック企業みたいに言っていましたよね。
　でも官庁が民間企業のようになるのは本当は良くなくて、民間企業がやれないことをやるのが役割のはずです。規制緩和をやった結果、むしろますますえこひいきができるようになってしまった。本当は規制が強いか弱いか、競争原理かどうかという問題ではなく、事前にわかる公正なルールに基づいてやっているか、それとも権限を持つ人の恣意に委ねることになるのかという違いだった。だから、とりあえずは必要な改革はこういうことだったんですということを、もっと言葉にして理解することからはじめるしかないと思います。

―― 競争原理は世界的な流れですよね。そこに抗うことはできるのでしょうか？

松尾　世界的にこの間、そういうことが進められて、とても貧困な層が生まれ、これまでの中流層が没落していった。これを根本的に解決しようとしたら、そういう貧困な労働者はなくさないとダメです。それは本人の身に迫った害になるわけですから、その利害に徹底的に基づいたものの言い方をして、団結したら勝てます、という闘いの経験を繰り返すなかで広げていくしかない。政治のものの言い方も、そういう利害なんですよね。弱い人がいて、かわいそうだから人権を守らないといけません、と上から目線で言う高尚な話ではなく、少数民族や女性かもしれないが、自分よりも境遇の悪い人をほったらかしにしておけば、そっちに雇用を奪われますよと。雇用を奪われて自分が損をするということになるから、そいつの境遇を上げなければなりませんよ、ということなんです。自分にとっても利益だということを互いに言える。山本太郎のやっていることはそういうことだと思います。

日本は対等な市民によって形成された共同体ではない

――民進党時代の経済政策を作っていた井手英策さんとの違いとはどこにありますか？

松尾　金子先生が過去の経済学とは違うオリジナリティのある存在であるのとは違い、井手先生は、経済学的にはある程度の広いくくりで、正統な経済学理解の範疇におられる方だと思います。ですから、井手先生は日本が財政破綻することはないとおっしゃいますし、消費税を上げることは主張しているのですが、消費税を上げて、上げた分を借金返済に使ってはいけません、全部社会保障に使いなさいとおっしゃっています。それは正しいです。消費税を上げた分を借金を返すことに使ったら、その分、世の中からお金が消えて、不況がひどくなる。ほとんど意味のない政策なんですね。それも正しいので、いちばん基本的なところはわかってはる方だとは思います。不遜な言い方で恐縮ですが。

　経済学の認識や細かい部分で対立するところはあると思うんですが、それはあまり重要ではなくて、やはりいちばん対立するのは哲学、イデオロギーだと思いますね。

　井手先生はコミュニタリアンなんです。共同体主義ですね。日本社会は対等な市民によって形成された共同体である、ということです。そしてその対等な市民が互いに助け合うというイデオロギーです。それが望ましい姿なので、税金をとることは「互いに助け合うこと」であって、「不遇な人のために自分が身を削って助けること」ではない。そういう位置付けにしてしまうと、一部の人だけを助けることになり、ルサンチマンになってしまう。なので、助け合うことによって自分も得をするんです、互いに得をするためにお金を出し合って協力する。そういうイデオロギーです。

しかし、これはある程度、哲学や価値観の話になってくるのですが、現実の日本はそうなっていません。階級社会です。これは別に日本だけじゃない。世界中の資本主義国は階級社会であり、共同体じゃありません。支配するものとされるものがいる。私から言わせるとそうなっている。

私たちは経済学的な機能の話として、税金というのはインフレを抑制するためにあるのであり、財源ではありません、という言い方をするんです。税金をかけるのは、例えば消費税なら消費財の生産などの労働資源を抑制して、政府支出先で必要となる労働資源を作り出すためです。たぶん井手先生もわかっていらっしゃるんですよ、それは。ですが、このようなことに社会的な合意を築いていくためには、それを社会的に合意するためのイデオロギーが必要なんです。そのイデオロギーとして、彼は「互いに助け合う」対等な市民による共同体というイデオロギーを持ってきている。

対して私は、それを別のイデオロギーで説明する。僕らからすると、現実は「対等な市民による共同体」ではないということです。現実が階級社会であるのに、対等な市民による共同体という幻想を持ってくると、階級社会であるという現実をごまかす機能を持ってしまう。だから井手さん自身、累進課税を強化するとか、法人税をあげるということ、特に法人税についてはあまり積極的ではない立場です。

私はそれに対して、現実が階級社会であることを踏まえた正当化をしないといけない。昔は、それこそ70年代の左翼側、革新側の人たちは明確だった。簡単にいうとそれは「収奪せよ」と

消費税を上げた分を借金を返すことに使ったら、その分、世の中からお金が消えて、不況がひどくなる。ほとんど意味のない政策なんですね。税金というのはインフレを抑制するためにあるのであり、財源ではありません。

いうことです。収奪者を収奪せよ、と。階級闘争です。本来なら社会主義にして、資本家の生産手段をわれわれで奪い、国有化して、計画経済でやっていく。そうは言ってもいろいろ難しい問題はある。わざわざ血なまぐさいことをする必要もない。やつらが民主的な手続きに基づいてやっているなら、すなわちクーデターなどは起こさないということであるなら、大目に見といてやろうということです。大目に見ておく、つまり収奪はしない代わりに、累進課税を強化してたくさん税金をとります、法人税を強化してたくさん税金をとります、それを福祉などに使いますよと。それが社会民主主義者が税金をとるときに考える基本的なイデオロギーです。本来であれば私企業は国有化するのだけれど、このくらいにしておいてやろうというのが社会民主主義です。

――それは闘わないとダメということですよね。

松尾　もちろんそうです。昔の、われわれの先輩はそういう話で単純だったんですが、そのあと個人主義の時代が来まして、昔のように単純にできる時代ではなくなっている。この単純に通用できる時代ではなくなっている時代に、それをどうやって復活させるかということだと思うんです。

個人の自由な自己決定、意思決定というものは、裏に責任が伴います。責任が伴ってこそ、自由な意思決定ができる。では責任とは何かというと、その意思決定の結果、他人に損失を与えることがあったときに、それを補償します、ということですね。「ごめんなさい」と謝って終わるだけかもしれないし、損害を補償することになるかもしれない。普通、意思決定の結果、損害を与えて賠償しますということになったときは、因果関係が明らかであれば民事裁判で確定できるわけです。でも世の中にはそうではないことがたくさんある。本来ならわれわれの先輩が、国有化して社会主義にするんだと考えていたように、労働者も、自分がどのように生産活動をやっていくかを自分の責任で意思決定して、自分でその結果に責任を負うというのが本来は筋なんです。経営は、そこで働くものたちが自分たちで管理し、意思決定をして、何かあれば自分で責任を負う。でも現実には難しいでしょう。そんな理想通りにはいかない。だから、しばらくは資本家の皆さんが意思決定するのを認めてあげましょう、その代わり決定をするのならば、その決定に伴う責任は全部とってくださいね、ということです。勝手に、私たちに諮ることなく経営上の決定をおこなって、その結果損失を出したとしても、「給料を下げます」というようなことはダメですよと。われわれが働いた分の給料はちゃんと出しなさい、という話ですね。意思決定の結果起こったことに関して、われわれには被害を及ぼさないでください、責任は全部あなた方がとってください、と。本当にそれが貫かれるのなら誰も文句はないわけです。いくらでも経営しておいてください、と。

　でも実際には、そうは言っても経営上の判断ミスがあったら、給料は下がるかもしれないし、クビになるかもしれない。そうなったときに、「補償しろ」と民事裁判に訴えても、補償してもらえるかどうかは難しい。もっといえば、例えば不況だから設備投資はしないと経営者が判断したとき、それはある意味では、無謀な設備投資をしないことによって従業員の生活を守ることにもなるけれど、でも世の中の経営者が揃って設備投資しないと判断をした結果、それが世の中全体で合成されて、総需要が少なくなって、不況がますますひどくなり、失業者がたくさん出てしまいました、という話になったとき、失業者は、経営者たちが「設備投資をしません」という意思決定をおこなった結果として失業しているわけです。けれども、「失業したから、お前ら責任とれ」と民事訴訟を起こしても勝てない。責任を確定できない。そのように、影響力のある意思決定をする人は、その意思決定の結果として、いろんな悪い影響を周囲に与えるかもしれないのに、その責任を確定できないことが多い。でもそれは意思決定の結果起こったことなのだから、責任をとらなきゃいけない。じゃあどうするんですか、となったときに、わからないから、あらかじめ一種の賠償保険として、公的にとっておきましょう、それで人びとが生活に困ることがないように補償しましょうということです。そのために支出をする。

――失業保険とか生活保護とか。

松尾　そうです。だから、そのような賠償保険が税金である、という位置付けにすべきなのです。そのような考え方であれば、意思決定の影響力の強い者ほどたくさん払うということになる。とはいえ決定の影響力というものは測る方法がないので、近似として所得で測る。そして、決定の影響力というものは、個人の力でなく組織の力によって出るところが現実問題として大きいわけですから、組織からとる。それが法人税を正当化する考え方です。

――なるほど。同胞の間の再分配ではない、という考え方なんですね。

松尾　井手さんの議論は、共同体だからみんなで助け合うというもの。それに対して、われわれの理論は完全に個人主義でいける。完全に個人主義によって説明ができる上に、われわれの先輩が言っていた階級闘争の理屈も正当化できる。これは僕が考えたことですね。

――私がわからなかったのは、政治的アピールの反緊縮というものは、社会の一部の人のためのものなのか、全員のためのものなのかということでした。私としては漠然と社会全部だと思っていたのですが、そうではないということがわかってすっきりしました。

松尾　そうです。コービン労働党が選挙マニフェストでスローガンとしてあげていたのが「FOR THE MANY, NOT THE FEW」でした。少数者のためのものではなく、多数のためのもの。ウォール街のオキュパイ運動で言われた「99％」も同じです。これは90年代の市民運動から流れてきたコミュニタリアンの立場の人からすると、非常に違和感のあるスローガンだと思うんです。「少数派のためではなく」と言うと、最初に思い浮かぶのは障碍者や少数民族を切り捨てる「多数派のために」というイメージで、そのスローガンはとられると思うのですが、そういう読み方をすること自体がおかしい。「FEW」＝少数者というのを、自分たちじゃない側として位置付け、「MANY」を自分たちの側に位置付けるとき、それは経済的な階級としてのごく一部の富裕層、支配層と、それ以外の99％の大衆という図式だということです。

――貨幣をいくら作っても大丈夫、国債をたくさん出しても大丈夫、という点が反緊縮の話でいちばん疑問に思われるところだと思いますが、どう説明していただけますか?

松尾　どうしたらそれを信じられるかというのはありますよね。根本的には、ひとつの家計と国とを同じように見てはいけません、という話です。家計や企業というのは、お金が外から与えられた制約になっている。なので、その与えられた制約であるお金のなかで、ものごとをやっていかなければいけません、ということが大前提になる。じっさいそれで世の中もやってい

家計と国とを同じように見てはいけません。家計や企業は、お金が外から与えられた制約になっている。その与えられた制約であるお金のなかでものごとをやっていかなければいけませんが、国はお金を作れるわけだから、これは制約になっていない。

るわけです。その話と、一国全部とはまた別の話で、国はお金を作れるわけだから、これは制約になっていない。では国にとって制約は何かというと、「生産能力」です。財やサービスを作る生産能力。特に労働ですね。つまり国全体の経済を考えるときに必要なのは、その本質は労働なので、ではそれを世の中全体でどう配分するのかということです。余っている労働を余らさないように使っていき、どううまく配分していくか。そういう話としてものを考えなければいけないんです。しかしわれわれの目の前には、それが、貨幣を使った取引、価格のついたお金を使った取引として映る。それを国全体の労働の配分だと翻訳して捉えることは、発想の転換というか、ジャンプが必要になるのでけっこう難しいんですが、それを理解していただけるかどうか。キイはそこです。

これは財政の話だけでなく、利潤と賃金で取り合いになるという分配の話もありますが、これもマルクスの『賃金・価格・利潤』という、昔は誰もが読んでいた本に書いてあることですけれど、賃金と利潤の取り合いというのも、翻訳すると実は、資本家向けの生産物と賃金から買う労働者向けの生産物の間の、国全体での労働の配分替えなんです。賃金が増え、利潤が減りますというのは、労働者向けの生産物が国全体で割合が増えて、資本家向け生産物の割合が減るということで、それぞれを作るための労働の配分が変わります、ということなんです。

機械や工場を作る設備投資財のための国全体での労働の配分が、高度成長期の１９７０年から、いちばん新しいデータの２００７年まで、ずっと2割で変わっていない。普通、成熟した先進国になると、10数%まで減るものですが、それが減らないでずっと残っている。２割というのは民間だけの数字で、政府の分も含めると25%くらいになる。基本的には、その割合が高

Launching the 2019 General Election campaign (Jeremy Corbyn)

いことと、それを貨幣ではかると利潤分配が高いということ、それらが実は裏腹の関係になっていて、日本の場合、利潤分配が高い状態が維持されていて、設備投資財への労働配分を減らすということになると、利潤分配が減ることになるので、体制的には抵抗がある、そういうことだと思います。労働運動が弱すぎてできていませんが、本当は利潤分配が減って、賃金分配が増えるべきなんです。

　税金をかけるということは、税金をかけた結果減る支出先の部門の労働の配分割合を減らすという意味です。政府支出で発生する需要で必要になる労働が足りなくて、無理やりやるとインフレがひどくなるというときには、そうやって税金をかけることで、どこかで労働を余らせる必要があるわけです。例えば僕は、法人税を高くして、設備投資財を作るための労働の割合を減らし、その分を介護などに回す方が優先されるべきだと、そういう言い方をしています。税金とはそういうものなのです。

　まだ労働として余裕がある、つまり失業者が出ている状態になったら、その分はどこかの労働配分を削る必要はないわけだから、お金を刷って介護労働に雇ったとしても、労働が足りなくなって、供給能力に対して購買力が高くなりすぎて、インフレがひどくなるということにはならないんです。労働能力に余裕がある、つまり、国全体の供給能力に余裕がある限りは、お金を作っても大丈夫ということです。

　そうやって、労働配分で見ると、世の中の本質がよく見えます。労働が余っていたら、雇えばいいだけだから。もちろん、十分な生産のための機械や工場が日本にはあるので、機械や工場は制約になっていないという前提においてですが、労働が余っていたら、お金を作って雇えばいい。生産能力に対して、購買力が過剰になるということはまだないので、お金を作っても大丈夫ですよということです。ただそれをずっとやっていったら、やがて生産能力に対して購買力が過剰になりインフレがひどくなっていくから、そうなったらそれはやめましょうということです。そうなったらどこかを削らなければならないけど、ではどこを削るかといえば、その時点では設備投資が過剰になっていて、もっと少なくてもいいわけだから、これを少なくするために法人税をかければいいということになります。

「国の借金」という呪縛をとり除く

――インフレを静かに止められるのか？　という点がバブル崩壊を体験した世代には不安だと思いますが、大丈夫なのですか？

松尾　それにはいろんな方法があるので、一概に言うことはできないけれど、反緊縮を打ち出している人たちのなかにもいろいろ流派があります。これは私の提案しているやり方であって、全員に共有されているわけではないですが、社会サービスや教育、防災とか、そういうところにたくさん支出をすれば総需要が上がりますから、それを打ち消すために予め増税を作っておく。法人税増税とか累進課税強化などをしておくことを考えています。こうしておくと、景気のいいときはそれでインフレを抑えるんですが、景気がよくないときは重税の効果で失業者が出てしまうので、そのときは中央銀行がお金を作って出す。たとえば設備投資の補助金を出せば、もともと法人税が高いので、何もしなければ企業はお金を取られ損になりますから、設備投資で補助金がもらえるなら、ということで設備投資をする。それから一律の給付金です。累進課税を非常に強化するということは、消費の割合が低いお金持ちからとって、消費の割合の高い普通の庶民に分配するということなので、消費需要が増えることになります。どちらも需要を増やすことになって景気がよくなるということですね。それらはお金を作って出せばいい。

それで、景気が良くなってインフレが高くなってきたら……例えばあらかじめ2%のインフレ目標を作っておいて、そこに向けて高まってきたら、だんだん補助金や給付金を減らしていく。インフレ目標に達したらなくします。すると重い法人税や富裕層課税によって支出が減り、インフレが抑制される。設備投資補助金や給付金なら増やしたり減らしたりの調整が簡単なので、状況を見ながら増やしたり減らしたりできる。それにプラスして、金融政策で金利を上げたり下げたりする。金利を上げたら設備投資は減りますから、そのような調整をかけていく。それらによって調整はできると考えています。

設備投資補助金について付け加えると、僕の提案では設備投資を公的にコントロールするという意味も持たせています。つまり景気がよくなりすぎたら、労働力人口というものは簡単には増えないので、機械とか工場を増やしても意味がない。設備投資というのは長期的にはあまり起こらないのが自然なわけで、だからインフレが高くなった状態でそれを抑えるには、法人税などを上げて、金融引き締めによって設備投資を抑えるということですね。

設備投資そのものについては、現代における完全雇用したときの成長に合わせて抑えた上で、景気が悪かったら、更新投資は要りますので、それで景気を良くしたいところですが、そのときには条件付きの設備投資補助金で誘導することによって、例えば環境に関する基準を満たし

「国の借金が」という呪縛に囚われてしまっていることがすごく大きい。それがネオリベ世論を作っている。生産性のないやつは生きている価値がないという説を推進するのに役立ってしまっている。だから、まずそれを払拭すること。

ているかとか、労働環境の基準を満たしているかとか、高齢化しているので介護部門はたくさん必要になるはずだとか、そういう条件をつけて、補助金を増やして誘導する。社会的な基準、ルールを作って、そのルールのもと、社会的に望ましい設備投資になるよう誘導していく方法として、この設備投資補助金は使えます。そのようにして、上は抑えたまま、下は補助金で誘導することによって、生産手段（設備投資）を公的にコントロールするということは、社会化していくということです。私的利益のための生産手段の私的所有を蓄積していくという資本主義の原則を変えていくわけです。

―― 福祉や投資にお金をたくさん使って欲しいとは思いますが、だからといってお金をいくら刷っても大丈夫だとか、国債１０００兆円でも大丈夫と言われても、信じられない。私などは安倍政権の１００兆円予算だってドキドキしている。

松尾　インフレがひどくならないかぎりということです。財政規模はどこの国もどんどん増えているんです。増えない国はない。普通、財政規模は増えるのが普通で、減るはずはないんです。

―― 人口が減ってもですか?

松尾　人口というより、人々のニーズや経済規模が増えるか減るかが基本だと思います。国債は「借金」というより、預金通貨を作る裏付けと考えた方がいい。民間企業への貸付と国債で、世の中に出回るおカネである預金は作られているのですが、設備投資が停滞して民間企業への貸付でつくられる預金が経済規模に比べて少なくなってしまっているので、国債でつくられる預金で埋め合わせないと世の中が回らなくなっていた。１０００兆円出してやっとこさ回っているということです。それでできた預金通貨が国全体の生産能力の経済規模の範囲内にあるかぎり、インフレはひどくならないということです。

左派とかリベラルと呼ばれる側、労働運動をやったり福祉を要求したりする側が負け続けてきたのは、ひとつは、自分たち自身が自信を持てなかったというか、引いた要求をしてきたからです。闘えないんですね。例えば現場で介護をやっている人たちの労働組合なんかも、当事者自身が賃上げ要求に躊躇してしまうようなところが現実にはあって、それは「国の借金が」という呪縛に囚われてしまっていることがすごく大きい。そのせいでわれわれは主張を言えなくなって、負けてしまっているのではないか。つまり、自分たち自身がそうであるだけでなく、そういう要求に反対する勢力を作ってしまってもいると思うんです。例えば相模原事件の被告は正義感に基づいてやったという話ですけれど、国の借金が膨らんで、このままでは財政がやっていけない、だから生産的でないものを殺さなきゃいけない、それが正義であるというふうに考えてやったわけです。現実に手を下すところまでやらない人でも、ちょっと手前のことまで考えている人は世の中にゴロゴロいると思う。お年寄りが認知症になったり長患いになったりすると、安楽死させた方がいいんじゃないかという発想になる人が世の中にはたくさんいる。そういえば、落合陽一さんと古市憲寿さんが対談（『文學界』）で、終末医療に金を使うんじゃない、止めるべきだと言って炎上していましたね。そういう話が出てくるわけです。「国の借金」が強くのしかかっていて、それがネオリベ世論を作っている。生産性のないやつは生きている価値がないという説を推進するのに役立ってしまっている。だから、まずそれを払拭することこそが、人間は生きているだけで価値があるという山本太郎哲学が認められる社会を作っていくための、一丁目一番地なんです。それを払拭することで初めて、世論が獲得できる。だから「国の借金」という呪縛をとり除くことが重要なんです。

（取材：水越真紀＋Cargo）

松尾匡（まつお・ただす）経済学者。立命館大学経済学部教授。著書に『「はだかの王様」の経済学』（東洋経済新報社）、『この経済政策が民主主義を救う』（大月書店）、『ケインズの逆襲、ハイエクの慧眼』『自由のジレンマを解く』（PHP新書）ほか多数。ブレイディみかこ、北田暁大との『そろそろ左派は〈経済〉を語ろう』（亜紀書房）など、共著も多数。

COLUMN / TALK

COLUMN

山本太郎はポピュリストなのか？

斎藤幸平

「戦うふりをしながらテーブルの下で手を握る政治」。山本太郎は立憲民主党のやり方をこう表現し、与野党間の馴れ合い政治を牽制した。事実、京都市長選などを見て、野党は本当に政権を取るつもりがない、国会でも儀礼的に自民党に反対しているフリをしているにすぎないと感じている人は多いのではないだろうか。

野党はきっと選挙で勝つことを恐れているのだ。本当に社会を変えようとして、民主党政権時代の大変さに直面するくらいなら、今のポジションを保っていた方が、得をする……。たしかに、元民主党の議員たちが、そんな考えを持っていてもおかしくない。

「本当に社会を変えることを恐れる」。残念だが、これは左派につきものの病である。人類学者のデヴィッド・グレーバーは、イギリスの左派リベラルを批判しながら、そのような態度を「負け犬サヨク」（Loser Left）と呼んでいる。負け犬サヨクは闘いに勝って社会を変えることを恐れている。彼らが唯一勝ちたいのは議論だけである（インテリだから議論には負けない）。だから、彼らは非常に理屈っぽい。

経済、人種差別、ジェンダー、マイノリティ問題など、リベラルと呼ばれる人たちはこうした問題に興味を持っているようにみえる。SNS上でとても熱心にこれらの問題を議論しているからだ。だが、その活動内容を少し詳しく見てみるとどうだろう？

他人の間違った理解を「差別だ！」、「勉強不足だ！」と糾弾したり、批判したりしてばかりなのが目に付くのである。現実を変えるために持論を展開するのではなく、他者を批判し、議論で勝つことだけを目指す。それがイギリスでも日本でも共通の負け犬サヨクのやり方なのである。

そうすると多くの人々は批判を恐れて声を上げにくくなる。「PC疲れ」を感じてしまうかもしれない。インテリに馬鹿にされたと憤る人もいるだろう。そうした感情に付け入るのが、右派ポピュリズムである。「リベラルは上から目線で、お前たちを馬鹿にしている。いつもメディアに馬鹿にされている俺はお前たちの気持ちがわかるぞ」。安倍、トランプ、ジョンソン……。こうして、分断がさらなる分断を生むために利用されてしまう。

とはいえ、これはリベラルの自業自得ともいえる。その限りで、民主主義の危機をリベラルが（右・左を問わない）ポピュリストたちのせいにするのを言葉通りに信じてはならない。それは責任転嫁にすぎないのである。

そんなSNSでの議論に辟易している人ならば、山本太郎が魅力的に映るのも理解できるだろう。彼には違うと思わせる力がある。本当に社会を変えようとしているように見えるからだ。そして、リベラル左派と違って「正しい」ことを上から押し付けてくるわけではない。そうした姿勢は全国行脚での演説の仕方からもわかる。一方的に語りかけるのではなく、人々の声に耳を傾けながら、「対話」が行われているからである。

また、炊き出し、座り込み、デモなどの現場に積極的に足を運んでいることも知られている。そうした社会運動とのコミュニケーションを通じて、現場の要望を救い上げていく。ここでのポイントは、既存の法制度の枠内で問題を解決しようとするのではなく、まさに既存の法制度の枠内に存在する制限のせいで生じている困難を解決するような主張を展開していることである。例えば、れいわの舩後・木村両議員は「重度訪問介護」を利用しているが、この制度では「通勤、経済活動にかかる支援」が公的補助の対象外になっているために、議員活動中は支援を受けられない。そのような制度上の矛盾を暴き出すことで、制度そのものを変えていく。このような取り組みは、社会運動から距離を取る政治家にはけっしてできないことである。その意味で、これは当事者ベースの本気の改革なのだ。

だがその結果として、負け犬サヨクとの対立が生じてくることになる。負け犬サヨクは、既存の枠内での政治を好むからである。既存の枠内での政治が重視される結果、ストライキやデモなどの直接行動に訴える社会運動は敬遠され、専門家や政治家を中心とした政策立案だけに民主主義が矮小化されてきた。そのような選挙戦と政策立案に集中するあり方を私は『未来への大分岐』のなかで、「政治主義」と呼んだが、れいわ新選組は日本の政治に根付いた「政治主義」をついに変える可能性を持っている。

この間、「野党共闘」をしなければ勝てないという政治主義的な考えから、結局生まれてきたのは、新たな分断にすぎなかった。だが、皮肉なことに、選挙でさえも勝てない状況が続いている。そろそろ私たちは、素晴らしいリーダーが現れて、良い政策を掲げてくれれば、選挙に勝てるし、彼・彼女が社会をいい方に変えてくれるというリーダー待望論から決別しなくてはならない。自分たちがなにもしなくても、選挙で投票さえすれば、社会をいい方向に変えてくれるようなカリスマ的リーダーはいないのだ。

むしろ政治に必要なのは、社会運動である。そのうえで、多くの社会問題の声を絶えずすくい上げ、一つにまとめていくようなリーダーシップを形成する必要がある。その道は困難だ。だが、不可能ではない。今米大統領選挙の候補者選びで、絶好調の滑り出しをみせたバーニー・サンダースがずっとやり続けてきたことなのである。

リベラル派のピート・ブティジェッジがトランプ政権を生み出したアメリカの「分断」を終わらせようと呼びかけているが、そもそもこの「分断」を生み出したのがリベラル派の通常運転を目指して擁護してきた新自由主義資本主義だったということを忘れてはならない。原因に向き合わないリベラルには現在の分断を乗り越えることはできない。

だから、本当に分断を乗り越えるとすれば、それはサンダースの「左派ポピュリズム」である。サンダースの目指しているのは、カリスマ型リーダーではない。様々な社会運動との対話・連携を通じて、責任をもって全体を調整するという立場——彼はこれをorganizer in chiefと呼んでいる——こそが、左派で主流となりつつある新しいリーダーシップ像なのである。

そして、この左派ポピュリズム型のリーダーシップを日本でも展開するための萌芽が山本太郎の政治活動の根底にはあるのではないだろうか。

とはいえ、もちろん懸念もある。二点だけ挙げておこう。

第一の懸念は、政治主義である。政治主義への対抗として山本太郎を評価しながら、政治主義への懸念を指摘するのは自家撞着と思われるかもしれない。だが、日本では社会運動が根付いておらず、れいわ支持者のなかには、山本太郎に強いリーダーシップを期待する人も少なくない。また、結局は山本太郎個人としての知名度やパフォーマンス力に依存するような形になってしまうと、これ以上の広がりを期待することは難しくなってしまう。とにかくなんとしても山本太郎を総理大臣にということで、自民党と組んでも、社会を変えるというウルトラCが発動されることはないにしても、個人に依存するカリスマ政治に陥ってしまっては意味がなくなってしまう。

第二に、気候変動問題への取り組みがある。この間、れいわ新選組は、二酸化炭素温暖化説懐疑論かとも取れるような態度をとり続け、気候変動対策よりも経済を優先するような態度を取っているからだ。日本では、反原発運動を主導してきた学者や活動家にも温暖化懐疑説が広がっている。もともと反原発運動から出発したがゆえに、信頼できる筋からそうした意見を聞いているのかもしれない。

だが、これは少なくとも世界の左派の潮流とは大きく異なっている。サンダースはいま気候変動対策を全面に掲げ、グリーンニューディールの必要性を説くことで、若者たちからの絶大な支持を獲得している。コービンは選挙で負けたが、彼も「緑の産業革命」を掲げて、若者たちは圧倒的に労働党を支持していた。

気候変動をアジェンダに加える必要があるのは人気取りのためだけではない。もっと大きな将来社会のビジョンの方向性にかかわるものである。もし気候変動問題を無視するならば、反緊縮は、単に経済成長を目指して、その成果を人々に再分配すればいいという話になってしまうからだ。もちろん、反緊縮がうまくいけば、人々の賃金も上がるし、生活レベルも向上するかもしれない。

だが、豊かになった分がそのままにさらなる消費活動に使われるだけだとしたら？　それでは地球の限界を突破してしまうところまできている。反緊縮は、気候変動を入れないと、アベノミクスと変わらないような政策で終わってしまい、人類の未来を決定するこれからの10年という分岐点をただ無駄にするだけの結果になってしまうのである。

こうした意見の違いを前に、諦める必要はないだろう。政治家の意見を変更させ、自分たちの要求を実現させることこそが、主権者が求めるべきことだからだ。

最後に、音楽と政治に関連したことに触れておこう。アメリカの大統領選を見ていると、ザ・ストロークスやアリアナ・グランデなどミュージシャンたちのサンダース支持が目に付く。音楽活動での影響力を通じて、自分たちのファンにメッセージを送っているのである。ファンも政治について発言することや、候補者を応援することが「カッコいい」と思うように文化が根付いている。むしろ政治について発言しないロックはダサいという感じなのだろう。

先日対談したアジカンのゴッチも述べていたが、それに対して日本では、事務所がスポンサーの意向を忖度するような形で、ミュージシャンが発言をしないことが、まだ多いという。政治と音楽を結び付けるためにも、音楽雑誌とその読者が果たす役割は大きいはずであり、こうした特集がその一歩になってほしい。

斎藤幸平（さいとう・こうへい）
大阪市立大学大学院経済学研究科准教授。専門はマルクス研究。著書に『大洪水の前に——マルクスと惑星の物質代謝』（堀之内出版）、編著書に『資本主義の終わりか、人類の終焉か——未来への大分岐』（集英社新書）など。

COLUMN

TikTok的、あまりにTikTok的な
——「若者の政治的無関心」をひらく

高島鈴

1

皆銘々取り取りの衣裳／奔放な命を被ふ化粧／隠すまじ隠すまじ隠すまじ……

動画はそこで途切れる。筆ペンで楷書体の漢字を書く動画だ。椎名林檎「長く短い祭」に合わせ、漢字練習帳の升目に穂先が滑る。「春」という字が形成される。「きれいな字」だ。それだけの動画だが、一〇万を超えるいいねがついている。

しかし、この曲の歌詞の続きは「我らは夏よ」だ。なぜ「春」という字を書くときに、夏の曲を流すのか？　答えはたぶん「なんとなく」である。春って漢字を上手に書けるから、この曲好きだから。文字と選曲には関連がない。文脈はぶった斬られて、恣意的につなぎ合わされている。

この動画に出会った場所は、いわゆる「Z世代」（*1）に人気のアプリ「TikTok」であった。これは一分もしない程度のごく短い動画を投稿し、いいねやコメントで交流をするSNSである。ユーザーは視聴傾向に応じてレコメンドされる動画を次から次へと流し見する。動画は様々な音源（公式の楽曲音源や、他人が投稿した動画の音声など）がTikTok内で利用できるように設定されており、それを流用して自分の動画を作成することができる。

そのようなシステムであるから、長尺や内容の複雑さ、難解さ

は全く好まれない。とにかくわかりやすく、すぐに意味が伝わることが至上だ。レコメンドをザッピングしまくっていると、なんだかたくさんの感情だけががんがん頭に送信されてくるような感じがする。「好き」「面白い」「すごい」「かわいい」。実際、作品の骨子は作り手の気持ちなのだろうと思う。冒頭で紹介した動画のように、TikTokではあらゆる表象が文脈を剝ぎ取られるからだ。恣意的に切り出された表象が流用され、反復され、全く別の文脈を形成しはじめる。本当におしゃれでスマートで内向きで、全てが気持ちで決定されている。そういう文化を見て慄くとき、私は自分の感受性が濁っていることを実感する。世界はすでに「そう」なっているのだ。

2

マーク・フィッシャーは自身が日々対峙している十代の学生たちを「非歴史的で反記憶的な即時情報通信の文化《ブリップ・カルチャー》の中に生まれた世代」〔＊2〕と呼んだ。フィッシャーが見たブリップ・カルチャーの担い手たちは、快楽を求める以外の行為が何もできなくなる状態＝「鬱病的快楽主義」に陥っていた。ここで言う快楽とは「至福へ引きこもる」ための非公共的な領域である。大量の情報によってパーソナルな時間はひっきりなしに分断され、将来の展望は暗く、落ち着く瞬間はこない。そういう状況では、もはやダルい快楽に浸かる以外の選択ができないのだ。腰を据えて一つの対象に向き合うような「コスパの悪い」まねはできない。理解に時間のかかる複雑なものや難解なものは、とことん忌避される。「事態がよくないとわかっているが、それ以上に、この事態に対してなす術がないということを了解してしまっている」状態、すなわち「再帰的無能感」〔＊3〕は、なるべくして若者の身体の上で可視化されている。「政治に興味のない若者」と称される人びとは、確かに少なからずいる。

しかしながらこれらの性質は、「若者特有の特徴」ではないと強調せねばなるまい。そもそも今の列島社会全体が「非歴史的で反記憶的」であり、「鬱病的快楽主義」的であり、「再帰的無能感」に包まれているのだ。そのうえ列島社会は、公共概念を擁さぬまま「感情化」〔＊4〕している。批評をやめ、感情以外のやりとりを無視し、「共感」が全てを覆い尽くす。「若者」はこの社会全体の傾向を最も先鋭的に受容し、最も洗練された形で適応しているに過ぎない。

ただ最も注意せねばならないのは、再帰的無能感・鬱病的快楽主義といった社会適応の成果は決して与えられたものではなく、主体が能動的に選び取ったものである、ということだ。社会適応は概ね受動的な振る舞いとして認識されているが、それは責任逃れだ。クソのような社会に適応すれば、クソのような社会は増長し、より立場の弱い者を圧迫する。「追い詰められて仕方なくそうした」のだとしても、悪意がなかったとしても、責任は絶対的に、在る。

3

いかに人間に社会的責任を自覚させ、公共を築けるだろうか？この巨大な問題に立ち向かうとき、感情化社会にすっかり適応した若い世代にはいかにアプローチするのが正解なのか、私には解答の用意がない。「若者は政治に無関心」言説はある程度正しいが、戦略的には全く正しくないのだ。年長者に「若者は政治に無関心ですね」と言われたら、「そうさせたのはてめえらだろ」以外の返事は返ってこないだろう。これは「お気持ち」だ。気持ちでしかない。しかし気持ちだけで瞬間的にやりとりするのが当たり前の環境を生きてきた人にとって、気持ちは最も安易、かつ最も重要な評価軸である。そこを軽んじてはいけない。

共感の外へ出る練習を積みうる教育環境と、誰もが孤独にものを考えられる程度の生活の余裕は、少なくとも早急に整備せねばならないだろう。そしてその実現を担うのは、私を含めた社会の「プレイヤー」全員なのである。**＃わかったか大人たち？**

高島鈴（たかしま・りん）
１９９５年、東京都生まれ。ライター。ele-kingにて「There are many many alternatives. 道なら腐るほどある」連載中。『文藝』２０１９年冬季号にエッセイ「シスター、背中は任せた」寄稿。

＊１　定義は定まっていないが、一般的には一九九六年～二〇一二年に生まれた人びとを指す。
＊２　マーク・フィッシャー著、セバスチャン・ブロイ／河南瑠莉訳『資本主義リアリズム』（堀之内出版、二〇一八年）六九頁。
＊３　前掲書、六〇頁。
＊４　大塚英志『感情化する社会』（太田出版、二〇一六年）。

COLUMN

山本太郎と「知性」の再開ために

白石嘉治

世界をして、われわれの内を通過させるのだ。
——グスタフ・ランダウアー

　問われているのは「知性」です。先日の京都市長選をみてもあきらかでしょう。「ポピュリズム」では語りきれない。そうした政治学の用語じたい「知性」を欠いている。すくなくとも「知性」と「理性」の混同がある。そして学問的な言説は、この混同をテンプレートにしているので、山本太郎だけでなく、安冨歩や大西つねきもとらえそこねてしまう。れいわ新選組の国会議員が障碍者であることの意味もはっきりとわからない。ＭＭＴが提起する問題も検討しようとしない。支持者を「信者」よばわりする。じぶんたちこそが「理性」の「信者」にすぎないことがわからない。「知性」がそこなわれていることがわからない。山本太郎たちは、そうした「理性」にたいする「知性」の再開をめざしています。このことについて、すこしかんがえてみたいと思います。

　そもそも「理性」と「知性」はどうちがうのか？　ただ、ふりかえっておきたいことがふたつあります。ひとつは世界的な「反政府」運動のひろがりで、もうひとつは原発の爆発や気候変動をきっかけに語られるようになった文明そのもののいきづまりです。前者については、フランスの「ジレ・ジョーヌ（黄色いベスト）」や香港の大規模なデモが思いうかびます。同時にあまり報道されないチリやレバノンのことも忘れてはならないでしょう。こうした運動の特徴は、政府そのものを標的にしていることです。ジレ・ジョーヌたちは金銭的にめぐまれていません。ところが彼らは、大労組のように雇用主に要求するのではない。凱旋門を占拠し、大統領の罷免をせまる。問われているのは、政府の無力からくる腐敗と強権です。経済のグローバル化のなかで、政府の権能は限定的になっています。フランスのマクロン大統領も、EUをつうじてIMFが設定する「条件」のもとにある。だからこそ、無慈悲に「緊縮」を押しすすめるわけですが、いっぽうで権力としてはEUとフランスという二重のかたちになっている。このより強力な二重権力の安逸と無責任から腐敗と強権が生じます。それは香港ではいっそうあらわになっています。

　山本太郎やれいわ新選組が直面しているのも、同じ二重権力です。安倍政権もグローバルな経済的な統治の要請にしたがっているにすぎません。「森友・加計」にせよ「桜」にせよ、スキャンダルにまみれながら平然としていられるのは、ほんとうには責任がないからであり、にもかかわらず二重権力のなかで堅固にまもられているからです。フランスや香港のように直接の弾圧による死者はでていませんが、腐敗を糊塗するために不正な経理をしいられたひとは自殺している。こうした二重権力の残酷にたいして、ナショナルなものがあらわれるのもとうぜんです。ジレ・ジョーヌたちのなかには極右もいるし、香港のデモでは星条旗やユニオンジャックがふられる。「ブレグジット」についても、おなじことがいえるはずです。ただし、それは二重権力の廃棄という、いわば正義にたいする直観にもとづいている。後ろ盾のある政府ではなく、政府といわば一対一でむかいあいたい。そこには統治そのものの罷免という欲望もあるはずです。山本太郎やれいわ新選組が不穏な感じをただよわせるのも、こうした正義にたいする直観をわかちあっているからでしょう。

　そして山本太郎じしん、政治家としての出発点は反原発運動でした。歴史学者のマニュエル・ヤンも『黙示のエチュード』（新評論、二〇一九年）でいうように、そこでは文明そのもののおわりが予感されている。文明とは巨大建築のプロジェクトです。ピラミッドにせよ本社社屋にせよ、ひたすら巨大建築のためにはたらかなければならない。だから大がかりな発電施設もつくられる。なぜ巨大建築に執着しているのだろう？　それらはほんとうに必要なのだろうか？　われわれがハラリの『サピエンス全史』（河出書房新社、二〇一六年）やセルヴィーニュ／スティーヴンスの『崩壊学』（草思社、二〇一九年）を手にとるのも、多少なりとも文明そのもののおわりを意識しているからでしょう。原発も爆発した。気温もあがっている。グレタはちょっと極端かもしれないと思っても、南極で二〇度をこえたというニュースは気になる。崩壊は指数関数的です。はじめはほとんど変化しないけれど、ある時点から急激なカーヴをえがく。それにたいして、われわれの変化にたいする意識は、どちらかといえば直線的です。だから崩壊がはじまっていても、思ったよりたいしたことがない気がするし、それが急激なカーヴをえがくともう意識はおいつけない。南極の氷が全部溶けると、海水面が六〇メートルあがるといわれてもピンとこない。

いずれにせよ、反原発運動をつうじて政治家となった山本太郎と彼のひきいるれいわ新選組は、世界的な「反政府」運動だけでなく、今日の「反文明」の脈絡でもとらえかえすべきでしょう。そこから賭け金が「知性」の再開であることもみえてくる。かつて哲学者の坂部恵がつまびらかにしたように、カントは「知性／理性／感性」の序列を「理性／知性／感性」に変えてしまいました（『理性の不安』勁草書房、一九七六年）。「知性」とはラテン語のintellectusの訳です。英語ではunderstandingで、ようするになにかがわかることです。カント以前は、神父の話や、ときには神の声を聴いてわかる「知性」がいちばん重視されていましたが、そうしたキリスト教の支配じたい、われわれの自然にねざしている。たとえ神をしらなくても、雲のながれや動物の足跡を読み解く「知性」で生きのびてきたのですから。ところが、カントは「理性」の優位を説く。「理性」とはラテン語のratioの訳で、なんらかの比を意味します。「知性」が経験に密着しているのにたいして、「理性」には固有の内容がない。ただ形式的な規則があるだけです。啓蒙の時代を生きたカントは「理性」をもちあげることで、宗教とむすびついた「知性」をしりぞけようとしたのでしょう。しかし、その後のカント的な「理性」の体制のなかで、われわれの自然や経験にかかわる「知性」はないがしろにされる。そして、ときに「人新世」ともよばれる一九世紀以後、国家や経済の「理性」の名のもとで、文明による災厄が世界に蔓延していきます。

もちろん叛乱はくりかえされます。ただ、それらは「理性」の支配にたいする「感性」の抵抗とみなされる。もともと「感性」的なものが「理性」をつうじて「知性」にうけとられていると考えられていたのに、媒介の形式にすぎない「理性」の優位によって「知性」が見失われる。この構図のなかで、あらゆる叛乱は「感性」的なものにきりつめられてしまう。その結果、下層民や女性、あるいは植民地の「原住民」はたんに「感性」にもとづいて行動しているのであり、叛乱の成否にかかわらず「理性」にしたがわなければならないとされます。そのことは一九世紀の自由主義や二〇世紀の社会主義だけでなく、今世紀の「ポピュリズム」についてもかかわりません。米国のトランプやイタリアの「五つ星」は「感性」にうったえます。そのかぎりにおいて「理性」に回収されるのでしょう。それにたいして、山本太郎たちは、ひとびとの「知性」をよりどころにしようとしている。トランプのようにツイッターを連発するのではない。「五つ星」のように「話をきかずに外見で投票しろ」ともいわない。山本太郎は倦むことなく「演説」をする。耳をかたむけ、語りかける。「知性」＝理解をわかちあうことから政治をたちあげようとしている。京都市長選挙で保育園の不足だけでなく、大学の奨学金の問題が焦点化されたのも偶然ではありません。「理性」にもとづく政治にとって、「感性」的な幼児は保護の対象になりうるのでしょう。だが、大学生は埒外においやられてしまう。あるいは貧困という「感性」的な基準をもとに斟酌されるだけです。それにたいして、山本太郎たちは保育園と大学の区別をみとめません。幼児にも大学生にも、そしてとうぜん障碍者にも「知性」はそなわっている。安冨や大西が説いているのも、そうしたわれわれの「知性」が十全に肯定されるべきであるということです。ＭＭＴについても同じことがいえるでしょう。新古典派の経済学は「理性」の形式にすぎない。貨幣にたいする「知性」＝理解が見失われているのです。

ディドロは「名優の根本的性質」についてつぎのように語ります。

> 僕は名優から豊富な判断力を期待している。僕にとっては名優の中には冷静な観客がいなくちゃならないんだ。従って僕は彼から洞察力と無感性とあらゆるものを真似る術《すべ》、ないしは結局同じことだが、あらゆる種類の性格と役割にたいする一種の適応性を要求しているのだ。（『逆説・俳優について』小場瀬卓三訳、未來社、一九五四年、九‐一〇頁）

フランス革命を準備したディドロにとって、「名優」とは「無感性」であることでした。「判断力」や「洞察力」は、intellucusはそうとも訳しうるのですから「知性」といいかえられるはずです。つまり「感性」や「理性」ではなく、まさに「知性」にもとづく「あらゆるものを真似る術《すべ》」によって世界そのものを通過させる。山本太郎が「名優」だったことを想いおこしておきましょう。彼がブルーリボン助演男優賞をとったのは二〇〇三年でした。翌年には、オダギリジョーが同賞をとり、長澤まさみが助演女優賞です。電車の広告でオダギリや長澤をみかけるたびに、山本太郎のことも考えてしまいます。かつてのレーガン大統領をはじめ、二流の俳優の政治家への転身はありふれています。われわれは「名優」が政治家になった未聞の事態に思いをめぐらすべきでしょう。契機は文明のおわりを告げる原発の爆発でした。そして「名優」として「知性」のうちにとどまりつづけ、空疎な「理性」の支配にあらがっている。カントいらいの統治の秩序は転倒されるのでしょうか？　たしかなことは、くりかえしますが、頻発する「反政府」運動のひろがりのなかで、われわれじしんの「知性」のうちにも吹き抜けるはずの世界そのものの再開が賭けられていることです。

白石嘉治（しらいし・よしはる）
上智大学ほか非常勤講師。専門はフランス文学。編著書に『文明の衝突という欺瞞』『ネオリベ現代生活批判序説』（新評論）、『不純なる教養』（青土社）、『VOL lexicon』『反‐装置論』（以文社）など。

TALK HAJIME MATSUMOTO

松本哉

昔ながらの民衆の生き方をすることが、カネばかりの資本主義社会へのいちばんの抵抗になる。

東京・高円寺でリサイクルショップ「素人の乱五号店」とゲストハウス「マヌケ宿泊所」を営む松本哉。商店主であり、高円寺北中通り商栄会副会長も務める松本は、商売をしながら、同時に近年特にアジア各地域のＤＩＹ／アンダーグラウンド・シーンとの交流を深め、〝アジアマヌケ革命〟を進行中である。二月には、新型コロナウイルスの感染拡大によって「都市封鎖」に追い込まれた中国・武漢市の仲間を支援する行動を起こした。松本が考えるアジア連帯と自治から見えてくる〝オルタナティヴ〟とは何か？　世界をパンデミックが襲うなか、松本の根拠に基づいた痛快な楽天主義と深く根差したコミュニティ意識は様々なヒントをわたしたちに与えてくれる。

常日頃から権力者をビビらせておく

――まず政治家・山本太郎についての率直な感想を教えてください。

松本　山本太郎は勝負師という感じがする。壮大なスケールでいまの社会や体制の仕組みをひっくり返そうとするんじゃなく、いま目の前で起きている具体的な問題に切り込んで悪いヤツらに勝負を挑んでいる。そこがすごく気持ち良いよね。

――例えば山本さんは全国一律の最低賃金1500円を政策として掲げています。もちろん赤字の事業者には政府が補償すると付帯されています。商店主の立場から松本さんは最低賃金1500円についてどう思うか？

松本 いまの日本社会で一般的に利潤を追求している会社や企業で働く場合は、そのぐらいの金を要求して当然だと思うよ。だけど俺はそもそも金なんてなくなって欲しいなと思ってるし（笑）、遊び半分仕事半分みたいな状態ってできないのかなと思ってる。例えば「マヌケ宿泊所」で番をする人は、各地から来る面白い人たちと遊んだり飲んだり昼寝したりしながら受付とかもしてる。もちろんバイト代は払ってるけど、それがどんどん時給上がっていけば、それを成り立たせるには出勤から退勤まで無駄なく働くような「仕事」の世界になっちゃうし、それじゃ、ザ・資本主義の世界に引き戻されちゃう。それよりは、このやたら金がかかる世の中をなんとかしたい。理想は時給300円でも楽しく暮らせる世界だね（笑）。この点に関しては山本太郎と違うのかもしれないけれど、大きな目標は共通してるところは多いと思うし、同い年（1974年生）だからか、感覚の部分でも近いものを感じる。だから、山本太郎には俺らみたいな〝不真面目な一般市民〟のことも気に留めておいてほしいね。

――松本さんは基本的に政党政治や代議制民主主義に頼り過ぎない、というのは一貫していますよね。

松本 まあそうだね。まず大前提として政治や社会を良くするか悪くするかは一般の民衆の問題でしょ。選挙でマシな政治家を選んで、その人らになんとかしてもらおうという発想はやめたほうがいい。常日頃から政治や社会について意見や文句を言いまくって、選挙のときに特別に頑張らなくても貧乏人の味方の政党や議員が勝てるぐらいにしとかないと。選挙結果はバロメーターに過ぎない。去年10月に消費税が10％に増税されたけど、所得税、ガソリン税、酒税、たばこ税とか散々貧乏人から搾り取っておいて、さらに消費税で国の財源を賄おうとするなんて理屈がおかしい。仕事を辞めて数ヶ月もしたら金や将来が不安になる人はみんな貧乏人でしょ？　そう考えたら世の中の大半は貧乏人だよ。金持ちと呼ばれるのは一生金の心配がないごくひと握りの富豪のこと。いまは貧乏人の負担ばかりが大きくなっているわけだし、そもそもいまの安倍政権のような金持ちばかりを優遇するふざけた政府に1円たりともやりたくない。「増税なんてしたらとんでもないことになるぞ」と権力者をビビらせておかないとダメだった。香港の民衆をすこしは見習わないとね。

――松本さんは昨年香港で起きた逃亡犯条例に反対する抗議行動に参加していますね。

松本 俺が去年の6月16日に超巨大抗議行動に参加してなによりも感動したのは、彼らが政府の機能を停止させにかかったこと。われわれ民衆の言うことを聞かないなら政府の機能も都市の機能も止めるぞと、２００万人の群衆が香港の街を埋め尽くしてとんでもないことになっていた。さらに香港の人たちは、雨傘運動（2014年に起きた、香港特別行政区政府に抗議する運動）の教訓を生かして運動をグレードアップしていた。運動の勝利という目標のために考え方の違う人を否定しないのを徹底していたのが大きい。もうひとつは、リーダーや運動の中心を作らずにいろんな小さなグループが、アプリで状況を確認しながら、おのおのがゲリラ的に戦ったこと。俺がいままで経験したどんなデモや運動とも違ったし、香港の自治を守るという目的であれだけの民衆が立ち上がったのはすごいこと。

商店街こそが現代のオルタナティヴ

――これまた松本さんは一貫してアジアの国際連帯と自治をテーマに、まさにアジア各国を渡り歩いて奔走しています。

松本 香港の運動が去年の後半ぐらいからかな、参加者の一部で〝香港ナショナリズム〟っぽい感じも強まってきた。政府と民衆側は本来別物でしょ？ でも、中国人っていうだけで敵意を見せる香港の人もいて、それはちょっと悲しい。香港の民衆を支持する中国人も実はたくさんいるんだけど、中国人排斥みたいな状況を見てすごい寂しそうだった。「俺たちも中国政府が気に食わないのは同じなんだけどなあ……」と。あと、反中国っていうことでアメリカとかイギリスの国旗振る人も多いけど、それだったら米軍基地に苦しんでる沖縄の人とかどう思うだろって思っちゃうし。自分らの街や社会は自分たちで作っていきたいっていう気持ちは香港人も中国人も沖縄も高円寺の商店街も同じ。だから各国のみんなでなんか結託できないかなと思って。それで、ひとまず中国人の面白いヤツらとも連携していかないとダメなんじゃないか

> 俺はそもそも金なんてなくなって欲しいなと思ってるし（笑）、遊び半分仕事半分みたいな状態ってできないのかなと思ってる。このやたら金がかかる世の中をなんとかしたい。理想は時給３００円でも楽しく暮らせる世界だね（笑）。

ほとんどの人は武漢のことなんて何も知らないわけじゃん。そこには当たり前の日常生活があっていまも生活している人たちがいる。そういう視点がすっぽり抜けていると感じたんだよ。

と考えて去年の後半に何回か中国に行った。

　そう、全然関係ない話だけど、俺が香港から中国に入るときに、「共犯結構」っていう台湾のバンドのTシャツを着ていたことで大変なことになったんだよ。共産党の「共」という文字があったからだと思うけど、イミグレーションの職員にやたら怪しまれて、役人とか警察みたいな連中に囲まれる事態になった。要は中国共産党の悪口や批判の意味なんじゃないかと疑いを持たれた。で、実はそのとき「安倍不要」という文字がプリントされたトートバッグも持っていたから、役人のひとりが「これはなんだ？」とさらに訊いてくるわけ。そこで俺が満面の笑顔で「安倍大嫌いなんですよ～」と答えると、急に向こうもすごい笑顔になって、なんか大丈夫になった（笑）。国が絡むといろんなことがあるね。

　そういえば、今回の新型コロナでも香港ではとてもじゃないけど武漢支援っていう空気感じゃなかったみたい。確かに台湾や香港は中国という大国からの圧力があるから、その辺難しいという気持ちはわかる。だからこそ、第三国の日本のうちらがいま中国地下文化圏に手を差し伸べるのが大事だし、それが日本の地下文化シーンの役目だよ。

――それで、2月15日に高円寺の「なんとかバー」で「武漢東京共同企画！　武漢支援BAR『武漢PANDEMIC × 東京PRISON』」をやったわけだ。

松本　そう。武漢支援バーをやる前に物資を送ったけど、何にいちばん苦しんでいるかと言えば、やっぱり家賃。武漢のDIYシーンの友だちや知り合いたちが集まるライヴハウス「武漢PRISON」の家賃の足しにでもなればと考えて、カンパとその日の売上の総額約8万円を送った。俺からしたら武漢は友だちがいたり、知り合いの店があったりする街。その武漢でコロナが流行ると、世界中が武漢について語りはじめて、しかもあろうことか〝悪の拠点〟のような扱いをする報道まであった。だけど、ほとんどの人は武漢のことなんて何も知らないわけじゃん。武漢は1100万人規模の工業都市で、俺の感覚だと超巨大な川崎。そこには当たり前の日常生活があっていまも生活している人たちがいる。そういう視点がすっぽり抜けていると感じたんだよ。それにどこの政府もあてにならないから、俺らが武漢のみんなを直接支援したかった。

その夜はすごく盛り上がった。「武漢PRISON」は元々パンクのライヴハウスだけど、いまはいろんなジャンルの人たちが集まる場所でDJも多い。そこで、家から一歩も出られない武漢PRISONの常連客たちは「蝦米音楽」という中国のアプリを使って順番にDJをして、オンライン・パーティをはじめたんだよね！　それが東京の会場のスピーカーから流れるんだけど、武漢や中国の曲の合間に日本の曲を入れてきたりするから、高円寺側も負けじと曲をかけて返したりして。そうやって、高円寺と武漢がオンラインでつながってパーティになった。

――いい話だなあ。松本さんはいま素人の乱がある高円寺北中通り商栄会の副会長を務めているけれど、昔ながらの商店街で商売することと、そうしてアジアの人びとと交流してオルタナティヴな文化圏を構築する活動はどうバランスを取っているの？

松本　大資本や大企業が牛耳る世界で、個人商店が集まって街を成り立たせてるって、いまやそれが既にオルタナティヴになってる。シンプルに自治として機能するところもあるし。いまとなっては、昔ながらの民衆の生き方をすることが逆にカネばかりの資本主義が支配した社会へのいちばんの抵抗になる。例えば、高円寺には商店街がいくつもあるから、でかい道路を作って大資本の商業施設を作ろうとする再開発に反対の人はものすごく多い。高円寺再開発の話になってもだいたいが反対派。もちろん、そういう人たちがみんなデモに来るっていうわけではないけどね。日本だけじゃなくて、台湾も香港も韓国も中国も、都市の再開発が進んで街が窮屈になってつまらなくなっているのは変わらない。そのなかでみんな自分たちの文化や自治を守ろうとしてる。俺にとってはアジア圏の奴らと連帯するのと商店街での街づくりは同列上にある感じ。そんなときにコロナで大変なことになっているはずの武漢の友だちの簡単にはへこたれない強さに、不屈の魂を感じるよ。そういうアジアで不屈の魂を持っている人間に出会うと俺らも負けてられねえなって気持ちになるし、一緒に何か作っていけたらと思うね。

（取材：二木信）

松本哉（まつもと・はじめ）
１９７４年東京生まれ。東京・高円寺のリサイクルショップ「素人の乱五号店」店主。さらにゲストハウス「マヌケ宿泊所」や「なんとかバー」を営む。高円寺北中通り商栄会副会長。著書に『貧乏人の逆襲！――タダで生きる方法』『世界マヌケ反乱の手引書――ふざけた場所の作り方』（筑摩書房）など。

〜TALK〜 Mars89

Mars89
ぼくらはバンクシーが描いたネズミかもしれない。社会にいるのに無視された存在かもしれない。それを可視化すること。

写真＝小原泰広

音楽は、この暗い時代にあってどのような輝きを放ちうるのか？　それを探るうえでMars89の試みは示唆に富んでいる。東京を拠点に活動するこのDJは、クラブでのプレイや作品のリリースはもちろんのこと、最近ではルイ・ヴィトンの広告にその音楽が起用されるなどファッションの分野からも注目を集めているが、他方で彼は昨今の世の風潮に抗議するサウンドデモを企画し、路上をダンスフロアへと変容させてもいる。いまの日本が生んだカウンターのひとつである「プロテストレイヴ」、その背景と実践について話を聞いた。

自分で考えて、自分で行動を

――プロテストレイヴをやろうと思ったきっかけは？

Mars89（以下M） 音楽を使った新しいアクティヴィズムみたいなのをやりたいですねって元SEALDsの奥田（愛基）くん

や石黒（景太）さんとたまに話すことがあって、そしたらyahyelの（篠田）ミルくんも何かやりたいらしいってことで奥田くんが繋げてくれたんですよね。それがちょうど愛知の「表現の不自由展」の事件があったタイミングでした。僕もミルくんも表現をする側の人間だから、なにかしなきゃと思っていろいろ話すところからはじまった。そのあと普段からジェンダーなどの社会問題をからめたパーティをやっているマリ（・サクライ）ちゃんが加わりました。

――直接的な契機は「表現の不自由展」の騒動だったんですね。

M　DJとしていちばんたいせつなことはなにかと考えたら、「自由と人権」に行き着いたんです。クラブ・カルチャーの成り立ちを振り返ると、ハウスやテクノのルーツはゲイ・カルチャーだったりダンスフロアが外で迫害を受けているひとたちのシェルターとしても機能していた。フロアがいろいろなひとを受けいれて、そこからどんどん新しい表現が生まれていった。DJってそこに来たひとたちが自由に過ごせる場をつくる裏方みたいな存在でもあって、ファンカデリックの「ワン・ネイション・アンダー・ア・グルーヴ」のように、サウンドシステムのもとに平等というか、集まってくるいろんな価値観のひとたちが互いを尊重することが大事で。他者の自由を脅かさない限り自由でいて良い。それって基本的人権と通ずるものですよね。

――つまり現状はそうではない、自由や人権が尊重されていないということですよね。

M　日本は全体主義的な傾向に陥りがちな国だと思っています。「不謹慎」って言葉で楽しむことを押さえつけたり、個を犠牲にすることを美徳としたりする風潮がある。常識という名の偏見から外れると、すごく風当たりの強くなる社会。個人ではなく集団や全体がファースト・プライオリティになっている。それに抵抗したいんです。全体主義的な社会って、ある意味では楽なんですよ。ルールに沿ってさえいればいいから。でもそれとはちがう価値観を持つひとは排除されるし、生きづらい。その空気に対して、互いを尊重し多様な価値観を受けいれる場であるダンスフロアをぶつけたいんです。

だからこそプロテストレイヴの参加者にもただ享受する側であってほしくない。演者とお客の関係じゃないから。みんな平等で一緒につくっていくものだという考えが根本にあります。自分で考えて自分の意志で行動を起こしてほしい。たとえば、参加者には自分でプラカを用意することをおすすめしているんですけど、一言メッセージを書くだけでもいろいろなことを考えると思うんですよ。与えられたものにただ従うのではなく、みずから考えて行動する、そういう土壌そのものを育てたい。少しずつ種を蒔いて耕しつづけるしかない。主催者たちは基本的にいまの日本社会はクソだと思っているんですけど、それを変えるにはみんなが日本は全体主義的な傾向に陥りがちな国だと思っています。その空気に対して、互いを尊重し多様な価値観を受けいれる場であるダンスフロアをぶつけたいんです。自分で考えるための草の根の運動が必要なんです。

――いまの日本社会の、たとえばどんなところがクソだと思いますか。

M――最近だと新型コロナウイルスへの対応がひどい。弱い立場に責任を押し付けることしかやってない。「桜」も「森友」もそうだし、政権の息を長引かせることしか頭にない。あとＺＯＺＯの前澤や田端のように、自分の力で勝ちあがれとか、金がないのはそいつの能力がないからだみたいな、自己責任論が支持を得やすい状況になっている。そんな連中がたくさんいて、格差がどんどん開いて、それを受けいれるしかないと諦めちゃっているひとも多い。政治を自然災害のように捉えているんです。台風や地震は防げないですけど、政治は変えられる。なのに行動しないひとが多い。だから、そのきっかけになればと思ってやっています。ぼくたちは音楽ができるからそれをやっているけど、みんなそれぞれやり方があるはずだから、それをやってほしい。ぼくらは答えのようなものはなにも言っていないんです。自分で考えて自分で行動してほしいから。「社会におかしなところがあるよね、じゃあどうするの？」と投げかけつづけることに意味があると思っています。

――ステートメントでは「身体」や「肉体」がキイになっていましたね。

M――たとえば職場で「妊娠するタイミングが悪い」とか、痴漢されたら「そういう服を着ているからだ」とか、タトゥーを入れていると温泉に入れないとか、自分の身体に社会が介入して、自分の身体が自分のものだと言えない状態。それに抗うというのもあるし、あと日本人はそもそも人前で身体を動かすことがなかなかできない。そのハードルをどんどん下げていきたいですね。踊っていると気持ちいいじゃないですか。そのとき肉体の存在や価値を再認識できる気がするし、自己肯定感にも結びつくと思う。

――運動の歴史を意識することはありますか？

M――もちろん先人たちの積み重ねは大きいです。パッとすぐやったように見えるかもしれないけど、あくまで先輩たちが耕してくれた土壌のおかげでできてい

る。ノッティングヒルのカーニヴァルとか、前例はたくさんあります。ヒップホップのブロック・パーティだってそう。直近のもので参考にしたのはジョージアの議事堂前のレイヴやUKの反トランプのマーチ、アフロパンクのフェスとかですね。

――日本のサウンドデモでいうと、イラク反戦や素人の乱、SEALDsなどがありました。

M 奥田くんはじめ、いろいろな先輩が関わってくれていて、これまでのノウハウや反省を活かしたりすることができています。

――1月の新宿のプロテストレイヴはとにかく、アルタ前でジャングルがかかっているのが良かった。あそこって資本の象徴的な場で、ふだんはヴィジョンから流れる大音量の広告や宣伝カーの音で埋め尽くされていますけど、その音がかき消されて聞こえなかった。音が音をかき消すことの可能性について考えさせられた。やはり場所は選んでいるんですよね？

M 渋谷のハチ公前もそうですけど、アルタ前もすごく資本主義的な場所ですよね。それへの抵抗もありますが、ただそれがメインであの場所を選んだわけではないんです。まずは自分たちのような存在をアピールすることが大事だった。ぼくらはバンクシーが描いたネズミかもしれない。社会にいるのに無視された存在かもしれない。それを可視化することにはつながったんじゃないかな。大多数のひとたちは、ぼくらみたいなひとたちがいることさえ知らないと思うんです。存在を示すのは、路上でやる大きな意味ですね。

――新宿駅の地下から上がってきた子たちが「なにこれ、おもしろそう」と言ってそのまま混ざっていくのを目撃したんですよ。あらかじめ情報を知って来ていた感じではなかった。それはすごいと思いましたね。ふつうの政治のデモにはできないことです。

M ハロウィンの日に渋谷でやった1

回目のときもそうでしたね。道ばたにいたひとたちが自然に混じってきた。ハロウィンにぶつけたのも、若いひとたちの目に、メッセージを伝えたいひとが路上にたくさんいる状況を見せたかったから。それを見て、自分の頭で考えるきっかけになればと。

山本太郎について思うこと

――山本太郎にはあまり良い印象を持っていないんですよね？

M まず、政治家としてまったく信用できないですね。勉強会に経済学者の高橋洋一を呼んでいましたけど、彼は竹中平蔵の傘下で安倍シンパだし、ネオリベかつ差別主義者です。減税に賛成というただその一点のみで差別主義者に活動の場を与える。その時点で自由と人権の観点からは完全にナシですね。さらに政策秘書にリバタリアンの陰謀論者を迎え入れてもいるし、山本太郎本人も野党共闘をかき乱すようなパフォーマンスをする。安倍政権になって長い年月が経ち、いろんなひとがなんとか倒そうとがんばってきて、そのためのもっとも着実な方法である野党共闘がようやく数年前から動き出しているのに、その積み重ねを台無しにしている。彼の行動は与党側を有利にするだけですよ。

――ほんとうに現状を変えたいようには見えないということですか。

M ただ目立ちたいだけなんですよ。N国の立花孝志と変わらない。古い価値観でのいわゆるロック・スターみたいな感じ。もし安倍側が消費税5％をちらつかせたらそっちにつく可能性だってあると思ってる。ただセンセーショナルなことを言えば良いっていう感じは有権者をナメている。近代政治や民主主義ってシステムの運営だと思うんですよ。なかにいるひとに左右されて大きく変わってはいけない。それは草の根運動の積み重ねで実現するもので、ヒーローの一発逆転に頼るものではない。ヒーローによる統治は独裁にも直結するし、有権者がファンクラブみたいになって、スターの考えを受けいれて頷くだけになってしまうのも民主主義からはほど遠い。人権や民主主義というものに無頓着になっているように見えますね。

（取材：小林拓音）

Mars89（マーズ89）
東京を拠点に活動するDJ／コンポーザー。最新作はファッション・ブランド、アンダーカバーのコレクションのために制作された音源の再編集ヴァージョンを収めた12インチ「The Droogs」。B面にはトム・ヨークによるリミックスも収録。

〜TALK〜 SHUYA OKINO

沖野修也

3 11以降の日本は現実を直視できないでいる。山本太郎が嫌がられるのは その現実を言うからでしょう。

身近で見る山本太郎の凄さ

山本太郎さんとは、僕はもともとは三宅洋平を応援していたんですけど、その関係で知り合いましたね。

ここ数年、身近で山本太郎を見てきているんですが、彼の凄いところは人の意見に耳を傾ける、そして反省もできるところなんです。昨年、彼とトーク・イベントをやったことがあったんですが、そのとき彼はいつものように〝どケチ国家〟という言葉を使ったんです。で、あるお母さんから「私はケチな人間なので、その〝どケチ国家〟という言葉を言われると自分のことを言われているみたいだから止めて欲しい」と言われまして……。

国の財政と家計は別ですけど、そう言われて嫌な思いをする人がいると彼は知ったんです。するとと別の会場のトークではその話題を自分からしたらしいんですよね。山本太郎は人の話を聞くし、注意を受け入れる。福島に行ったときもそうでした。ちゃんと謝罪をしたんです。震災のあとに彼がツイッターで危険を煽ったと捉え、いまでも福島には彼のことを怒っている人がいる。彼は誠意をもって謝って、批判に対して自分の過ちの理由も話した。これは単純そうに見えて、他の政治家にはできないことですよ。

「謝ったら終わり」みたいな空気が、とくに近年の日本にはありますよね。謝らない人がいっぱいいる。安倍晋三がそうです。彼は、謝らない人たちの深層心理の反映じゃないかと思うんです（笑）。「いまさえよければいい」「嘘ついてもばれなかったらいい」、そういう人間の内面を象徴しているような気がしてならない。安倍政権が7年も続いている背景には、悪運の強さや小選挙区制や、いろいろな要因がありますが、大衆のモラルとリンクしているところもあると思うんです。

山本太郎はその逆なんです。彼は市民と対話しますよね。これもいままでの政治家にはなかった。だいたい車の上から一方的に話して、野次られても無視。新宿の演説のときもなかばイチャモンみたいな質問があって、「おまえ口だけだろ」とか、そういう言葉にもちゃんと向き合って答えるんです。しかも彼は用意した原稿を読み上げるのではなく、公開討論会でもすべて即興なんですね。これがまたジャズっぽい（笑）。そもそも公開討論会ってリスキーじゃないですか。

もちろんカリスマ性への批判はわかります。山本太郎という個人を盲信するのは危険です。暴走したら止めますけど（笑）。ただ、彼はれいわ新選組で多様な人たちを出してきて、山本太郎個人ではない話にもっていった。

僕は彼の政策はほぼほぼ支持しています。ひとつだけ、最低賃金の引き上げに関しては、セイフティーネットがないと恐いですね。いまもし最低賃金が１５００円になったら、給料が払えなくなって僕は自分の店を閉めると思います。奨学金徳政令や反緊縮はまったく支持していますけど、最低賃金に関しては、僕のようにほぼ個人のような中小企業で店（渋谷のクラブTHE ROOM）を経営していて従業員を雇っている人間からすると大丈夫なのかなぁと。助成があればまた話は違いますけど、れいわ新選組は最低賃金１５００円「政府が補償」と言ってますので、そこは担保して欲しいです。

山本太郎への批判として、いちばん多いのは野党分断をうながす勢力というのがあります。僕もよく言われます。沖縄の知事選のときもある候補を応援していた三宅洋平がSEALDsから批判されてましたしね。ミュージシャン仲間からも、山本太郎が消費税5%にこだわって野党が割れたら自民党が利するだけだから、同一選挙区に候補立てたら徹底的に批判するよって言われています。音楽業界にはもちろん支持者もいますが、山本太郎ダメな人も多いんです。

僕のなかでは、もう応援するのはれいわと共産党でいいかなと思っています。ただ、それでは集まる票にも限界がある。

山本太郎が本気で総理大臣を目指すなら、立憲民主も取り込まなアカンと思いますね。ただね、最初は個人ではじまって、そしてれいわ新選組へと進化——まあ、そのネーミングや猫の肉球のマークとか、いろいろ思うところはありますけど（笑）、でも、あの軍団を率いたことは本当にすごいと思います。渡辺照子さんとか、コンビニオーナーの三井（義文）さんとか、彼らのような存在を可視化したことは素晴らしいと思うんです。山本太郎単体でやっていくんじゃなく、あのグループを作ったことに僕は希望を感じるんです。

失敗が許されない社会になった

90年代の僕がいた音楽シーンは、アシッド・ジャズ、ヒップホップ、テクノ、ハウス……と、日本から文化を世界に発信していたと思うんです。僕がいる現場は基本的にはメジャーの資本の力を借りずにＤＩＹでやっているシーンで、90年代はＤＩＹシーンがものすごく元気があった。あれから30年経って、たとえばいまロンドンに行っても、やはりシーンは元気なんですね。しかし日本は30年経って、このシーンがどれだけ発展しましたかね。30年経って、ヨーロッパではシーンが拡大して、ＤＪはしっかりした職業になっている。翻って日本ではまったくそうなっていない。だから最近は海外を拠点にするＤＪが増えてきていますよね。最近は僕も自分のことを考えると移住を真剣に考えてしまいます。風営法は改正されましたけど、クラブに来る人の数は減りましたからね。

311はすごく大きかったと思います。潜在意識のところで、あのときの自粛ムードがいまでも影響していると思いますね。遊びに行ってる場合じゃないと。また、いつか起こるといわれている大震災に対する無意識の恐怖があるのかもしれません。あと、これは自分が店をやっているので、若い子たちと話す機会が多いなかで思うことなんですけど、２０００年代に入って新自由主義が進んで、若い子たちから人生で冒険しようという意識が後退したように感じますね。社会のなかの安心感が僕が若かった頃よりもなくなっている。自己責任とか言われるよう

安倍晋三は謝らない人たちの深層心理の反映じゃないかと思うんです（笑）。「いまさえよければいい」「嘘ついてもばれなかったらいい」、そういう人間の内面を象徴しているような気がしてならない。大衆のモラルとリンクしているところもあると思う。

放射能の話をすると止めてくれと言う人がいます。不安を煽っていると（笑）。でも知らないことのほうが恐いと思うんです。知れば何らかの対策が打てる。しかし大多数の人は、放射能の話をする人のほうが恐いんでしょうね。

になって、失敗が許されないようになっている。だから逆に言えば、マニュアルにはすぐ対応できるんです。クラブに集まる若い子なんて、本来は人生で冒険したい子たちなんですけど、でも社会が文化に与える影響は人の内面にも来ているように思います。

　ドイツで海外のラジオDJやジャーナリストを招いてのツアーがあって、僕も呼ばれたんですけど、ランチのときに文部大臣が出てきて「私たちはこの文化（クラブ・カルチャー）をサポートし、音楽の歴史を更新します」とか言うんですよ。これはひとつの例ですけど、同じ先進国でも日本との違いが著しい。フランスは少子化対策がうまくいったので、子供も増えて、活気ある音楽シーンが生まれています。

原発事故から何を学んだのか

　山本太郎は良くも悪くも無防備ですよね。敢えてやっているという見方もできますが（笑）。れいわの候補者もちらほら出てきてますけど、大阪では共産党とバッティングしてるので、すでに波紋を投げかけてます。ただ、消費税５％で共闘となれば下げる可能性もあるでしょう。

　僕がいま住んでいる京都で少し前に市長選がありました。現職で国政の与野党相乗りの市長が勝利したんですけど、対抗で出馬していたのが貧困対策を掲げた候補者で僕の高校の先輩。もちろんサポートしましたし、山本太郎と共産党も応援に入っていたんです。しかし京都市民はその人を支持しなかった。市長は観光に力を入れているので、一見観光業で賑わっていることでプライドの高い京都人の心が満たされる部分もある。ただ、実は税収はたいしたことないんです。そして、その政策が原因で観光公害が問題になりはじめているし、しかも、いまはコロナによって観光業がいっきにピンチですよね。一体これからどうなるのか……

　京都もそうですけど、日本はずっと現実を直視できないでいると思うんです。原発もそうです。事故のあとの非常事態宣言はまだ解除されていない。でも、もう大丈夫だと思いたい。京都も税収は増えていないのに観光客が増えているから自分たちは大丈夫だと思いたい。日本全体が現実逃避しているんじゃないかな。それに「いまだけ」「自分だけ」という発想が幅を効かせているし、「俺関係ないし」という無関心も多い。

原発事故によって日本人は目覚めるかなと思ったんです。さすがにあれだけの事故が目の前で起きたわけだから目覚めるだろうと。しかし原発は動き出しましたし、福島の人ですら今も自民党の議員に投票してますから。原発が爆発して現実逃避がさらに加速したんじゃないかな。一瞬、官邸前に人が集まりましたけど、あれは潜在的に問題意識を持っている人たちが可視化されただけで、数はたいして増えていないと思うんです。むしろ現実逃避が進んだ。どう考えても安倍政権を変えなければならないのに、安倍首相のゆるやかな回復という言葉を受け入れているわけでしょ。日本が良くなるには、まずは現実に向き合うしかない。でもみんな耳が痛い言葉を聞くのは嫌なんです。山本太郎が支持されないとしたら、もうひとつの理由はそこでしょうね。彼が本音を言い過ぎている（笑）。

でも、いずれ破綻するのだから、現実を直視して変えていかないと本当にヤバイ状況になると思います。コロナ問題でいま店の日報を見るのが恐いですよ。ただ、ちゃんと見ないとどれくらいヤバイかわからない。僕が放射能の話をすると止めてくれと言う人がいます。不安を煽っていると（笑）。でも、知らないことのほうが恐いと思うんです。知れば何らかの対策が打てる。しかし大多数の人は、放射能の話をする人のほうが恐いんでしょうね。

だから反省もあります。たとえば安倍さんを引きずり下ろすのが先決っていう人の言葉は、もっと普通の人が理解できるようにしないといけない。感情的にシャウトするんじゃなくてね。伝え方ですね、いま重要だと思うのは。もうひとつ山本太郎さんに注文があるとしたら、王道の政治も汲んで欲しいということです。奇襲攻撃もいいけど、見え方としてはもっと王道でやってもいいんじゃないでしょうか？　パシッと政治家っぽい背広を着て（笑）。（談）

（取材：野田努）

沖野修也（おきの・しゅうや）（KYOTO JAZZ MASSIVE / KYOTO JAZZ SEXTET）
選曲家／作曲家／執筆家。KYOTO JAZZ MASSIVE名義でリリースした「ECLIPSE」は、英国国営放送ＢＢＣラジオＺＵＢＢチャートで3週連続№１の座を日本人として初めて射止めた。これまでＤＪ／アーティストとして世界40ヶ国１４０都市に招聘されている。著書に、『ＤＪ選曲術』や『クラブ・ジャズ入門』（ともにリットーミュージック）、自伝『職業、ＤＪ、25年』（DU BOOKS）などがある。

〜TALK〜 MATTHEW CHOZICK

マシュー・チョジック

どうか日本はアメリカを真似しないでほしい。アメリカ式で進めていったら、日本も大変なことになります。

日本の常識は世界の常識ではない。グローバル化が進み、ヒトの流動性が高まるなか、文化を語る視座にも多様性は必要とされる。在日アメリカ人から見える日本、そして山本太郎とは？　タレント／俳優／文学博士のマシュー・チョジック氏に話を聞いた。

投票率が上がれば良くなる

——山本太郎をどう見てますか？

マシュー　山本太郎・れいわ新選組の人気は、この先自民党を越える可能性は、なくはないと思います（笑）。だって、日本のもっとも支持されている政党は自民党じゃなくて、「投票しない人たち党」ですよね。去年の参議院選挙では、自民党を支持したのは全有権者の19％ぐらい。そして日本の貧困率が19％に近づいています。だから、貧困問題を主要テーマにしている山本太郎は、これからもっと必要とされるかもしれません。

——でも問題は、山本太郎を必要とする人たちが投票できていないということですよね？

マシュー　日本でもアメリカでも、とにかく投票率が低い。アメリカでは投票率よりも離婚率のほうが高い年あります（笑）。

――投票率上げるには、どうすればいい？

マシュー　アメリカじゃない国の政策からいろいろ学べると思います。例えば、「義務投票制」を採用している国は世界に20以上あって、投票しなかったら罰金や入獄させられる国まである。入獄はやりすぎだと思うけど、国民の投票を大切にしているってことですよね。

　オーストラリアなんかはすごく成功していて、去年の国政選挙で投票率が90％を超えました。罰則規定だけじゃなくて、投票しやすい環境をみんなで作っている。投票所に行くとバーベキュー会場のようになっていて、ソーセージサンドイッチを食べるのがお決まり。ベジタリアン向けの大豆ソーセージもあるらしいです。僕もオーストラリアで投票したいなぁ。

　面白い研究結果があって、義務投票制にすると、政治状況が左寄りになる傾向にあるのだとか。ようするに、リベラル政党の人気が上がるということですね。そう考えると、いまの日本やアメリカの政府は、戦略的に、義務投票制のことは黙っておいたほうがいいかもしれませんね（笑）。

――山本太郎さんの魅力はどんなところに感じますか？

マシュー　以前、家の近所で山本太郎さんが街頭演説している姿を見たことがありますが、やっぱり、うまかったです。メリハリのある口調とパフォーマンスで、かつデータを駆使しながら理論的に訴えるので、説得力があったし、惹きつけられましたね。

――やっぱり元俳優だからですかね？

マシュー　それはあると思います。俳優・タレント出身というのは、トランプと一緒ですね。トランプも大人気タレントでしたし、映画にもたくさん出ていました。ちなみに僕のもっとも好きなトランプの出ている映画は２００１年のコメディ『ズーランダー』。

　アメリカで政界に入った俳優は他にもけっこういますね。アーノルド・シュワルツネガーやクリント・イーストウッド、レーガン大統領もそうですね。元俳優は政治家になるうえで何かと有利です。知名度があるだけでなく、演技力もある。つまり、自分と違うバックグラウンドや経験をもつ人の気持ちを理解しているように見せる能力が高くて、自分の意見をうまく表現することもできます。

――でも、政治家にとってもっとも重要なのは政策ですよね。山本太郎は、バーニー・サンダースやアレクサンドリア・オカシオ＝コルテスのような左派ポピュリズムの流れにあるというとらえ方はどうですか？

マシュー　その通りだと思います。政策的に重なっていますからね。欧米では格差が拡大しすぎているからこそ、まずは目の前の人たちを救わなければならない、という社会主義的な政策の人気が高まっています。その日本版が山本太郎さんといえそうですね。でも日本の格差はそこまでじゃないから、どこまで広がるかなぁ。

――貧困の問題は重要だと思うけど、なかなかニュースにならないんですよ。

マシュー　日本にはよく言われるジャーナリズムの問題が影響してるかも。政府に忖度する日本のマスコミは、経済政策のマイナス面は報道しづらい。だから、山本太郎さんたち野党が語る貧困ナラティヴは、なかなか表に出てきません。

　重要なニュースは、ファクトだけじゃなく、その背景をしっかりと分析してほしいですね。日本では、スポーツ、天気、芸能ニュースがちょっと詳しすぎる。

アメリカでもっとも政治的な大衆文化は〝お笑い〟

――アメリカのメディアはどうなんですか?

マシュー　僕が生まれてから、ひとつ大きな変化がありました。1987年に、公平性原則を定めていた法律「FCC Fairness Doctrine」が撤廃されたのです。その法律は、放送メディアは政治的公平性、多様な視点からひとつの事象を分析しなければならないと定めていました。ところが、共和党のロナルド・レーガン大統領がその法律をなくしたことで、極端に右寄りのFOXニュースみたいな番組が登場しました。自分の政治的イデオロギーによって見るチャンネルも決まってくるので、中立、公平、健全なメディア環境は失われているように感じます。

――レーガンはなぜその法律を変えたんですか?

マシュー　一義的には、言論の自由を保障するためです。法律によってメディアの表現に制約がかかってしまう。表現の不自由になってしまうわけです。この公平原則に関しては、いまも多くの議論があります。日本でも近年、安倍総理が政治的公平を定めた「放送法4条」の撤廃を示唆していましたね。でも、果たして言論が自由であることが正しいのかどうか、というそもそもの疑問もあります(笑)。言論の不自由は逆に自由なのかも。

　このあいだ、ロスでキリスト教原理主義者のテレビ局のニュース番組を見たんです。中東の紛争について報道していましたが、その悲劇を「すべては神が救ってくれる」と言っているんです。分析はゼロ。とにかく神に祈るんです。こういう番組の視聴率が高い！　それはいまのアメリカっぽい……。そして、言論が自由だとこういう番組も成立します。やっぱり、この自由はすごく難しい問題。

――アメリカの大衆文化において、いまもっとも影響力のある政治的な表現者って誰ですか?

マシュー　たぶん、お笑い芸人ですね。な

かでも「スティーヴン・コルベア」がもっとも影響力あると思います。彼はずっと共和党の支持者のパロディをやってきたんですけど、彼の政治分析はものすごく鋭い。ある研究によると、彼のジョークニュースを見ている人たちは、ＦＯＸニュースを見ている人たちよりもファクトをわかっているのだとか（笑）。

――アメリカにも同じような問題があるんですね。でも日本の場合、ジャーナリズム以前に民主主義国家といえるのかどうか、という次元じゃないですか？

マシュー　答えづらいですが、たしかにそう感じることはあります。日本は自分たちで民主主義を勝ちとっていないからだ、というのはよく聞きますね。

――どういうところが民主主義じゃないように感じますか？

マシュー　戦後、アメリカの影響力が残ってしまったところとか、ほとんど自民党一強の政治が続いているところとかですかね。国民は、直接総理大臣を選ぶこともできないし、近年では政府がＮＨＫの人事にまで口出しをしたり、放送内容にまで影響を与えているのだとか。だから、日本のニュース番組から民主的な議論のきっかけを得るのは難しいんじゃないかな。山本太郎さん的貧困ナラティヴは見えづらくなるわけですね。

　だけど近年、映画界では貧困や格差をテーマにした作品が日本でも注目を集めています。例えば『パラサイト　半地下の家族』、『ジョーカー』、『ナイブズ・アウト／名探偵と刃の館の秘密』など。どれも、山本太郎さんの話してる内容とかなり近い。こういう映画が有権者の考えに影響を与えているかもしれないですね。過去の研究によると、データや統計で何かを伝えるよりも、物語で伝える方が心に響きます。だから、映画はファンタジーの世界と思われがちですが、極めてリアルな世界なのです。映画をとおして、山本太郎さんの社会分析を受けいれる人もいると思いますね。

アメリカでは左翼が税率を上げたがっています

――マシューさんは日本の国会中継を見ますか？

マシュー　先日たまたまテレビを見ていたら、立憲民主党の枝野幸男さんが国会で演説を始める前に水を飲みはじめたんで

映画界では貧困や格差をテーマにした作品が注目を集めています。『パラサイト』、『万引き家族』、『ジョーカー』、『ナイブズ・アウト』など。どれも山本太郎さんの話してる内容と近い。映画はファンタジーの世界と思われがちですが、極めてリアルな世界なのです。

す。そのとき枝野さんは左手で口元を隠していました。上品すぎて、人間らしさが伝わりづらい。しかも「何か隠したいことがあるのではないか」という印象すら与えかねない。それに対して安倍首相は、けっこう下品に食べてる姿をいっぱいSNSに投稿しています。それが、逆にあけっぴろげで「隠しごとがない」というような印象につながっている。計算なのかなぁ（笑）。

――広い層に受け入れられるためにアメリカではどんなことをするんですか？

マシュー　サンダースは労働者階級のために苦心して政策を作っているけど、悲しいかな、その対象者の人たちの多くはトランプを支持しています。トランプは愛国心や、人種やジェンダー、発想のダイバーシティによって自分たちの地位が脅かされる、という人びとの恐怖心をうまく利用しているからでしょう。

――トランプのスピーチのクオリティはどうなんですか？

マシュー　中学生みたい……といったら中学生に失礼かなぁ（笑）。そのぐらいの英語ですよ。ものすごく簡単な言葉の羅列。使う形容詞も決まってます。terrific, amazing, great, tremendous, weak, stupid, fake……。だからこそ、誰にでも伝わりやすいのかもしれませんね。

――日本でも麻生太郎とかいますけどね。

マシュー　麻生太郎本当にすごいですね。何を発言しても許されてるね。日本では政治家の家系だと権力を持ちやすいですが、違うバックグラウンドを持っている様々な人たちこそ、本当は政治家になってほしい。

――マシューさんは日本で投票できるんだっけ？

マシュー　僕は投票できません。だからこそ日本の政治に対しては、できるだけ中立的なスタンスを取ろうとしています。でも山本太郎さんの奨学金ローンをチャラにする案は、いいなぁと思います。奨学金の問題は、社会構成に悪影響を与えているでしょう。不安定な企業に就職すると、何かあったときに返済できなくなるから、学生たちはなるべく安定した企業に就職しようとします。そして多くの20代～30代の大学卒業生は新しい企業を作る余裕なんてないし、クリエイティヴな仕事もできない。日本の大学の授業料はアメリカの大学よりはずいぶん良心的だけど、それでも近年は高くなってきていますよね。これから学費がもっと上がっていったら、お金持ちしかイノベーションできない社会になってしまいます。学費はおもいきって無料にしましょう！

――アメリカの大学生は奨学金ローンがたいへんなんでしょう？

マシュー　そうですね。僕は恥ずかしながらいまだに奨学金ローンを毎月返済しています。総額でプライベートジェットを買えるぐらいになったかなぁ（笑）。アメリカの学費はさらに高くなっていて、アイビー・リーグの学生はいろんな経費も合わせると年間で800万円近くかかるらしい。僕の生まれた頃より、アメリカの学費は1000%以上あがってる。インフレ率の4倍以上ですよ！　やっぱり、奨学金は「返済型」ではなくて「給付型」にするべきです。山本太郎さん、僕の奨学金もチャラにしてくれないかなぁ。

――山本太郎の消費税ゼロ政策はどう？

アメリカの学費はさらに高くなっていて、アイビー・リーグの学生は年間で800万円近くかかるらしい。僕の生まれた頃より1000%以上あがってる。インフレ率の4倍以上ですよ！　やっぱり奨学金は「返済型」ではなくて「給付型」にするべきです。

マシュー　わかりやすいけど、なんで消費税のことばかりいうのかな、と思います。実際は僕たちが納めなきゃいけないお金は他にもたくさんあるでしょう⁉　国民年金、所得税、住民税、社会保険料、健康保険料、金融所得課税、固定資産税などなど。ていうか、こんなにたくさん高くて払えませんよ！

――アメリカの税金は安いんですか？

マシュー　アメリカだと、税金を引かれないための悪い作戦、たくさんあります(笑)。だから、アメリカの左翼が、税率を上げたがっています。サンダースやオカシオ＝コルテスとか。そこは日本のリベラルとだいぶ違いますね。

――アメリカでは税金払わない人が多いから？

マシュー　そうなんですよ。例えば、このあいだ読んだ『ニューヨーク・タイムズ』の記事によると、トランプ大統領は1985年〜1994年のあいだ、ほとんど税金を払わなかったです。いまは、グーグルやアマゾンも税金対策を使っている。税率の低いアメリカの上流階級の人たちが大儲けしています。一方で、アメリカの中流階級は少なくなっています。

アメリカで広がっている格差の原因のひとつは、「貧乏移民」とトランプが言っていますね。でも「貧乏移民」がやっている仕事は、アメリカの中流階級がやりたがる種類のものではない。中流階級の仕事を奪っているのは技術革新です。パソコンや製造装置のおかげで一人当たりの労働生産性がだいぶ上がってきて、同時にeコマースによって店がどんどん潰れていっています。食べ物を売っている以外の店は、これからあまり残らないと思います。

――技術革新で仕事は生まれない？

マシュー　いえ、政治的に良いチャンスもたくさんありますね。とくに環境問題に関しては可能性があります。この辺りで山本太郎さんの政策が気になりますね。彼のウェブサイトには、主要エネルギーは火力と書いてありましたが、火力は微妙です。日本の政治家たちが前向きに協力しあったら、世界の環境リーダーになれるし、日本の企業にとってもおいしいと思います。山本太郎さんには、貧困だけじゃなくて環境問題にも力を入れて欲しい。

――でも完璧な人間などいないわけだから、なんでもかんでも山本太郎に求めるのは酷なんじゃない？　彼が取り組んでいる貧困問題はとても重要ですよね。

マシュー　もちろん！　ただ貧困問題と環境問題は、切り離して考えないほうがいいと思います。気候変動対策によってたくさんの雇用を生み出せるし、それにすぐに対応しないと、これからの日本経済にも大きなダメージを残すことになります。農業がダメになったり、住んでる場所がなくなったり、スキー場がなくなったりすることで人や仕事が失われることになる。難民の数も増えるでしょう。

――日本は、Cool Japanならぬ Coal Japanですからね。『The Japan Times』の山本太郎の記事（Nov 30, 2019 / Taro Yamamoto blurs the popular line on climate change）を読んだけど、欧米社会での政治的トピックといえば「climate change（気候変動）」だが、日本にはその意識があまりにまだないみたいなことが書かれていましたね。

マシュー　そのCoal Japanのダジャレはなかなか良いですね（笑）。うん、貧困との闘いがいまの日本社会では重要なことだっていうのはわかりますけど、環境問題はもうちょっと意識したほうがよさそうですね。

――でも、シェール革命とか言って環境に悪いことをしているのはアメリカですよ。アメリカって本当にひどい国だし、だから貧困問題はずっとあって、ホームレスが多いし、そういうのが街のなかで可視化されていますよね。

マシュー　だからアメリカを真似しないでほしいって願っています（笑）。アメリカ式の資本主義は近視眼的で、僕が日本に期待するのは、前向きに理想で世界をリードすることです。アメリカ式で進めていったら、日本も大変なことになります。こないだロス行ったとき、道を歩いていて、寝転んでいるホームレスがたくさんいて……何回もつまずいて転びそうになった。

――マシューさんが生まれたときから、そういう過酷な貧困は身近にあったんですか？

マシュー　僕の生まれた１９８０年ごろは、すでにそうでした。でもそれ以前の１９５０年～１９７０年のアメリカでは貧富の差はそれほどでもなかった。１９７０年以降に状況が悪化しました。日本の場合１９７５年～２００８年ごろまでは、格差を意識することはなかったですよね。だから、僕が初めて日本のことを勉強した頃、ジニ係数という所得格差を表す指標を覚えたのです。英語で書かれたいろんな本に「日本はジニ係数の低い国」と紹介されていました。でも、いまは日本のジニ係数はあまりアメリカと変わらなくなってきています。

――アメリカ化してきています。アメリカは医療費の問題もありますよね。

マシュー　アメリカの医療費問題はヤバいです！　医療費を払えないという理由で、毎年約1000万人の人が貧困に追い込まれています。ボストンに住んでいたときに、耳がゴルフボールくらいに腫れて痛くなったことがあって慌てて病院に行ったことがありました。問診票を記入して診察の順番が回ってくるのを待っていたのですが、30分経ってようやく戻ってきた看護士さんがこう言ったんです。「今日は専門医がいないので、また明日来てね」って。「えーっ」と驚いたのもつかの間、さらに受付に連れていかれて請求された金額が、なんと12万円ぐらいでした。

――そんなんでどうして国として成立しているんですか（笑）？

マシュー　国としては微妙だけど、保険会社がすごく儲かっていますね（笑）。

――なんで、そこまで医療費が高いんですか？

マシュー　いくつかの理由あると思うけど、ひとつは訴訟です。何か問題が起きたら損害賠償を求めるから、そのときの裁判代です。アメリカでは裁判は身近ですからね……。

――オバマが打ち立てた保険制度「オバマケア」はどうなりました？

マシュー　オバマケアは冗談みたいなもん。アメリカ国民の健康を守るために、革命が必要だったんですが、中途半端すぎました。オバマは日本のような国民皆保険を理想としていたと思います。オバマケアによって、以前は保険に入ることすら許されなかった病気の人たちが入れるようになりました。ところが、その保険料が高すぎて、結局は入ることができない。本末転倒ですね。

　最終的には、オバマケアは儲かっている保険会社の利益を守ることになってしまった。調べたら、民主党は保険会社から多くの献金を受けていました。そのことも関係しているのかもしれません。しかも、トランプはオバマケアの失敗をずっとネタにして攻撃しています。オバマケアがはじまった初日に、ウェブサイトがクラッシュして、病気の人たちがなかなか登録できなかったということがあり

貧困問題と環境問題は、切り離して考えないほうがいいと思います。気候変動対策によってたくさんの雇用を生み出せるし、それにすぐに対応しないと、これからの日本経済にも大きなダメージを残すことになります。

ました。それ以来、視聴率のもっとも高い右寄りのFOXニュース番組の笑いのネタにされてしまっています。オバマは格好いい大統領だったかもしれないけど、健康保険制度をどうすることもできなかった……。

——あの物腰の柔らかさが、なんか良い印象を受けますよね。

マシュー　僕もその物腰の柔らかさは好きなんだけど、実は裏では中東で戦争しまくっていたということがショックです。しかもオバマはもともと同性婚に反対の立場でした。だけど同性婚のアイディアがメインストリームになってから、オバマの発言は進化した。オバマは柔軟な人で、理想で国民をリードしたというよりも、常にポピュラーな市民の考え方に合わせようとした大統領だったんですね。

——その次に誕生したのがトランプ大統領だった。はじめに彼が登場したとき、ほぼすべてのミュージシャンは反トランプだったわけだけど、選挙結果は、トランプの勝ち。これは悲しかったですよ。

マシュー　悲しかったですね。トランプが大統領の就任式でミュージシャンのブルース・スプリングスティーンに、大好きだから演奏して欲しいってお願いしたんですよね。そうしたらスプリングスティーンは、「絶対に嫌だ。おまえのこと大嫌いだ」といって断ったみたい。するとトランプは、スプリングスティーンのカヴァー・バンドを呼んで演奏させた（笑）。こうしてトランプは、自分のパーティでスプリングスティーンの曲を使うことに成功しました。これ、超面白くないですか（笑）？

——スプリングスティーンは共和党にも人気があるんですよね。

マシュー　本人には気の毒だけど人気があります。

——ところで、アーノルド・シュワルツネガーやクリント・イーストウッドみたいな俳優はなんで共和党なんですか？

マシュー　税金を払いたくないからじゃないですか（笑）。共和党の安定しているプラットフォームは「税率を下げること」なんです。ハリウッド俳優たちはすごい税金を払っているので。それは嫌みたいです。

サンダースはアメリカを変えるか？

——民主党に対する期待はまだもてますか？

マシュー　期待はあります！　サンダースが40年前からずっと主張してきた、マルクスや社会主義の話、これが当たり前の議論になってきた。10年前だったらあり得なかったことです。サンダースの政策が実現するといいですね。彼は本当にかっこいい。不可能だという経済学者もいるけど、必ずしも学者たちの理論がリアルの世界に当てはまるわけではない。これまでもぜんぜん予測できていなかった。だから怪しいですよ。

　とはいえ、民主党に対する心配もあり

ます。例えば、アメリカでは立候補するのにお金がかかりすぎます。それで企業との癒着も起きてしまう。寄付をもらう代わりに、悪いことをしている石油会社や中毒性の高い処方薬メーカーの罪が法律的に許されてしまうケースもあります。候補者にとってはすごい金額が必要なので、アメリカの多くの政治家が中立的でいるのはほぼ不可能。その点、アレクサンドリア・オカシオ＝コルテスは個人の寄付しか受け取らないスタンスだから、信用できます。

——サンダースの知名度はどうですか？

マシュー　僕は大好きですけど、まだカルトです（笑）。まあ、この対談が出版される前にサンダースの知名度は上がるはず。ただ、彼はユダヤ系だからオバマより随分少ないマイノリティーの一人です。それによって差別されないと嬉しいですね。サンダースがいま政治活動を辞めたとしても、彼の影響力は民主党に残ると思います。キャンペーンファイナンス改革や、国民健康保険制度（カナダみたいにゼロにしようとしている。オバマの先をいく制度。保険料を高くする）を作るなど、全部サンダースが革命的に紹介してきた政策です。他の民主党の大統領候補者、バイデンや元共和党のウォーレンはいまサンダースの政策ばかりをパクっています。4年前までみんな民主党は右寄りだったのに、いまの民主党は、サンダースのリベラルな考えにかなり染まってきました。

——マシューさんの政治的な関心はどうやってはじまったんですか？

マシュー　中学生の頃にパンク音楽を好きになったことがきっかけじゃないかと思います。アメリカやイギリスのパンクの歌詞には知的なジョークが多いけど、そこには政治的なものもたくさんありました。パンクに惹かれた。実は高校生のときにバンドをはじめて、そのときに反原発のTシャツを作って着ていました。いまの僕は反原発派かどうかは、ちょっと微妙です。科学者たちが本当に安全にコントロールできる原発を作れるなら、その意見に耳を傾けたいなとも思っています。ただ日本の原発は古いものも多くて、心配ですね。また、原発に関して白黒のどちらかという議論もどうなのかな。グレーゾーンはすごく広いですよ。例えばビル・ゲイツは福島クラスの地震があっても耐久性のあるコンパクトな原発を開発していて、それを肯定するわけではないけど、そこに使われている最新技術には関心を持ってもいいんじゃないかなと思います。

——311を経験している国で、原発の精度を上げていこうよっていう発想にはなれないですよね。

マシュー　わかります。でも、イエスかノーの両極端な意見だけがあって、技術に関しては検討する余地はあると思います。僕の好きなミュージシャンたちはほぼ反対で、僕自身も基本は反対ですけど。ただ環境に悪いエネルギーを使うともう時間切れ。ゲームオーバー。これから科学者たちと政治家たちは大規模なイノベーションをしないといけない。そうしないと日本の貧困問題が絶対に悪くなりますよ。頼むよ、山本太郎。

――日本で政治の話をしようとすると、ガチガチに真面目になってしまうんですよ。もっと気楽に話せたらいいけど、切実な話をするときにギャグはなかなか言いづらいですね。

マシュー　そうですよね。日本ではそんな雰囲気ありますね。僕は、それってもったいないな、と思います。ユーモアとのバランスを取りながら話せれば、もっと広がる気がします。エンターテインメント性があったほうが関心を持つ人も増えるでしょう。

――アメリカ人も政治的に無関心な人がほとんどだとさっき言いましたが、ウォール街の座り込みであるとか、グレタさんに触発された環境問題のデモであるとか、日本でも報道されている大衆運動はそれなりに大きいんじゃないですか?

マシュー　一般のアメリカ人はウォール街でデモする知的なニューヨーカーではありません（笑）。ある調査によると、アメリカ人口の62％はニューヨークに行ったことないです（笑）。だからウォール街のデモは一般的ではない！　しかもそのときのデモは残念でした。目的がいまいちハッキリしなかった。ゴールよりもカオスのなかで感情をぶつけ合っているだけに見えました。精神的には良いかもしれませんが……。むしろ、日本のデモはしっかりゴールがあるようにみえます。例えば憲法9条を守るためとか、メッセージがはっきりしている。素晴らしいと思います。

――日本はどうすればもっと良い国になると思いますか?

マシュー　発想のダイバーシティを大切にすることじゃないでしょうか。同じようなバックグラウンドを持っている男たちが日本の政治や会社を監督している。それは微妙です。何度も研究結果として確認されているのですが、チームのジェンダーやバックグラウンドのダイバーシティを増やすと、チームメンバーの満足度が上がるし、パフォーマンスやイノベーションが促進され、集団的思考や誤りが改善されます。「ダイバーシティ」という言葉自体は安っぽいかもしれませんが、メリットはたくさんあります。まずは政治家の半分を多様なバックグラウンドを持つ女性にしたら良いと思います。そうじゃないと、同じような考え方を持っている人たちは、自分の「盲点」に気づかない。お互いに気づきあいましょう！

（取材：野田努）

マシュー・チョジック（Matthew Chozick）
1980年アメリカ・コネチカット州生まれ。ハーバード大学で文学を専攻、修士課程。バーミンガム大学博士課。東京在住。ライター、大学講師、日本文学研究者。タレントや俳優としても活動、またアート関係の出版社Awai Booksを経営。著書に『マシューの見てきた世界』（Pヴァイン）がある。

INTERVIEW

(7)

TERUKO WATANABE

渡辺照子

諦めて生きるには人生は長い。でも諦めないでなんとかしなきゃと思うと、人生の時間は限られている。

写真＝小原泰広

２０１９年夏、参院選候補として現れたれいわ新選組の渡辺てる子さんの動画を見てみろと、ＳＮＳでメールで瞬く間に広まっていった。それまでほとんど誰もその名を知らなかったとは思えない。すぐに「てるちゃん」と愛称で呼ばれるようになった彼女が全身で訴えるのは、まるで虐げられたものの蜂起だった。プロフィールには、ホームレスのときに出産しシングルマザーとなり、派遣切りにあった元派遣社員とあった。いったい彼女は何者なのか？　どんな人生を歩んで何を訴えているのか？　波乱万丈の半生、いちばん低い地平から見た日本社会のこと、そして理論と統計調査の結果と地道な運動に裏打ちされた政策論を聞いた。

家族の脆弱さ

――渡辺さんはシングルマザーや非正規労働者という「当事者」の立場から語られますが、その原点となった体験のことを聞かせていただけますか。

渡辺　さかのぼると、そもそも私は小学生の頃から管理教育や受験教育にものすごく不満や違和感を持っている子どもでした。入学した都立高校がいわゆるリベラルな校風だったんですね。図書室がすごく充実していて、従軍慰安婦やアジア・太平洋戦争時の戦争責任問題をきちんと書いている本、いま皆さんが読んでいるかどうか分かりませんが、本多勝一や小田実、加藤周一のような人たちの本が一通り揃っていたんですね。

とにかく本が大好きなんです。お金がなくても、道具を揃えなくても、これさえあれば時空間を自由に行き来できるものですから。子どもの私が太平洋戦争における日本の戦争責任について考えていたのは、親が昭和一桁の戦中派だったことの影響があります。親世代からは戦争のときの苦労話を聞かされてるけれど、じゃあ侵略した側としての日本の戦争責任はどうなるのか、被害者という部分だけじゃないんじゃないの？　という話で、親とよく喧嘩してましたね。でも親は全然本に興味はない、まったく本のない家でした。それで小学校のときから学校の図書室や図書館で本の楽しさに目覚めたんです。特に文学よりもノンフィクション。実際に生きてきた人の考え方や歴史に興味を持って、高校のときに女性の生き方に興味を持った。なぜ女に生まれただけでいろいろ不利な状況になってしまうんだろうと。当時はすでに日本にはウーマン・リブ運動がありました。もっともそういうことはまだ分からない年齢ではあったんですが、いまでいうフェミニズムに目覚めた。これが私の原点です。そこで大学に入ってすぐに社会問題の研究会に入って活動をはじめたんです。専攻は社会学でしたので、困った人を救えるのかとか社会問題を解決できるのかということを考え、何十年も古いノートを使うような講義ではダメだと思って、講義をサボタージュして障害者介護のボランティアなどをしていました。その一貫で三里塚に行ったり、部落差別の問題を考えたりするようになったんです。

　それが70年代後半くらいですね。「遅れてきた全共闘」なんて言われますね。原宿や青山でＤＣブランドを買いあさっている友だちを横目に見つつ、そういうのにはまったく興味を持たなかった。セクトや組織は当時から嫌いでした。いまでいうトップダウンではなく、自分たちでやりたいようにやればいいじゃんということでやってました。女性問題に関しては、女性史研究会に入って、高校生の頃に平塚らいてうの本を読んでいたのでその延長線上で研究していました。そうすると社会運動のなかにも男女差別があるということに気がついて、運動だけや

Women's Day March poster from the Womens Liberation Workshop in London, 1975

っていても性差別問題は解決できないんだということを感じました。

―― 具体的にはどういう差別でしたか？

渡辺　いまでいう性別役割分業ですね。これは全共闘時代からの問題で、田中美津さんも言ってましたが、「バリケードの中でおにぎりを握るのが女だ」というのは問題として引き継がれていましたし、女性の先輩がお弁当なんかを作ってくると「女性らしくていいね」「家庭的でいいね」なんて言われてましたね。40年以上前の話ですが、いまもそれは変わらない。「女子力高いね」とかいいますよね。あるいは労働組合の役員に女性が少ないとか、あらゆる団体、企業、政界の意思決定レベルに女性が入れずにいる。そういうことから、女性の解放や平等の問題が私の原点となった。そこから障害者差別や部落差別の問題など、さまざまな「差別」の問題に広がります。

―― 性差別を考えるなかから、いろいろな差別の問題に広がっていくということですね。そして、その運動をしていく中で人生が変容していくんですね。

渡辺　ええ。狂っていったと言っていいと思います。三里塚運動をやっていると称する自称活動家の男性に騙され、家に帰ると公安に逮捕されると思い込まされてしまった。洗脳です。それで名前を隠して全国を逃げ回ることに。「潜行」というんですが、家族に迷惑をかけてはいけないと思って逃げ回っていた。その過程でホームレス生活を余儀なくされ、その男性との間に二人の子をもうけることになりました。といってもホームレスですから、病院にかかることもできないし助産婦さんに診てもらうこともなく、産み落とすというか、まさに生まれた、という感じでした。

Police on watchtower on Narita aiport areal observes anti-airport activities outside the airport perimeter in Sanrizuka. (https://commons.wikimedia.org/wiki/File:Narita-Airport-Security-Police_watching-anti-Aircraft-protesters_1982.jpg)

――社会運動への使命感があった？　それとも出口を見失った状態？

渡辺　ただただ家族に迷惑をかけちゃいけないという思いでした。あとで考えると浅はかですが、私はまだ18歳だった。私を連れまわしたその男性はおそらく、非常時でなければ他者をつなぎとめることができないと思っていたんじゃないでしょうか。普通の市民生活のなかでは自分は自分らしさをまっとうできないというか、自信がなかったんじゃないか。いまにして思えばですけど。

――他の野宿者との交流もないような孤独なものだったわけですよね。

渡辺　そうです。意識としては逃亡生活なので、ある意味ではちゃんとしたホームレス生活さえできなかった。たとえば山谷とか西成のドヤ街にすら行けなかった。やはり女性だと怖いということもありましたし、お金もなかった。下の子が生まれたときは残金五百円くらいしかなくて、新生児を抱っこして運送会社のトラックの駐車場の車止めに腰を下ろして一晩寝たこともありました。そんな場所でも、人が来なくて追い立てられないだけで私にはありがたかった。

――そんな凄絶な生活が5年間続いたんですね。どうやって家に戻ったんですか。

渡辺　あるとき、その男性とはぐれちゃったんです。今日のように携帯電話もないからやむをえず赤ちゃんを連れて家に戻りました。そこで大学の先輩に調べてもらったら、その男性は活動家でもないし、公安に手配されてもいない。私は騙されていたと分かった。私は子連れホームレスから母子家庭のシングルマザーになりました。私に限らずシングルマザーはまず家族からバッシングを受けることが多いんです。厄介者だ、自業自得だ、ということですね。どういう状態であれ、どういう親のもとに生まれたかにかかわりなく、子どもは尊いもので生命は大

ホームレスのときに体験した、頭のなかで理念として考える活動なんてなまっちょろいという原点があります。これをやらないと生きていけないというのが本当の活動だろうということです。

事だというのがヒューマニスティックな考え方だと思いますが、私の家にそれはなかった。

しばらくは鬱のような状態でした。とにかく自分の状況がつかめない。自分で招いた結果かもしれないけれど、だからと言って自分でコントロールできていたわけでもない。ただ目の前の現実として、自分が生んだ子供が二人いて、その子たちを私が育てなければいけなかった。

家族にとって私は傷だったんでしょう。直視したくないというのもあったでしょうね。いまで言うレジリエンスというのかな。それが私の家では弱いんだということは思いましたね。家族というものは意外に脆弱ですよ。震災後、離婚やＤＶが増えたとか、まず家族があるのではなくて、平和があってこその家族ということかもしれない。ただ当時と比べていまは日本全体が経済的に逼迫《ひっぱく》しているので、いざというときの家族のレジリエンスのバッファが効かないということはあるでしょうけど、私がシングルマザーになった頃は社会全体に余裕があったはずなので、経済的なことよりも、ガラッと変わってしまった人間に対する適応力や寛容力、受容性が私の家族にはなかったのかなと思います。

頭で考える活動なんてなまっちょろい

――渡辺さんご自身がその5年間で変わったと思うことはどんなことですか。

渡辺　いまの学生さんは奨学金を借りたりバイトをしたりする人も多くて大変だと思うんですが、当時は夏休みと冬休みにちょっとバイトをすれば、全部自分のお小遣いにできたし、学費は親に出してもらっていたんです。一方で、そういう状況でボランティアなどの活動をすることに限界を感じていた。ぬるま湯に浸かりながらの社会活動ってどうなのよと。だからって「学費もいりません、バイトします」ということになると活動もできなくなる。葛藤はありました。

――私は渡辺さんの少し後輩で、似たような時代の景色を見ていたと思いますが、70年代のウーマン・リブ運動の後、「女も自立しなくては」というプレッシャーが若い女性にかかるようになっていったと思うんです。社会的に自立できる環境はほとんど整っていないにもかかわらず。

渡辺　そうでしたね。親がかりで大学に行くことを素直に受け入れられないとか、結婚したら夫に養われる生活も選びたくない、そんな意識もありましたね。とはいえ大卒の女性の就職先はほぼ公務員しかない時代でしたから、先輩たちは資格を取って公務員試験を目指していました。私の同年代でいま活動している人も公務員の方が多いです。私はホームレスのときに体験した、頭のなかで理念として考える活動なんてなまっちょろいという原点があります。これをやらないと生きていけないというのが本当の活動だろうということですが、図らずもじっさいそういう状況に陥ってしまった。

　青春時代には、なんのために生きるのかなんてことは誰しもいろいろ考えるわけですが、私の場合はあのとき「生きるために生きるんだ」という確信を持ったわけです。それしかない、理屈じゃないと。どんな状況であれ、生きたいと思う本能を持ち続けるということですね。路上生活ではいつもギリギリの状況でしたから、食べられなくて苦しくて、水は公園で飲めても、他のものが食べられないで胃液を吐いたりということはしょっちゅうだったんで、否が応でも体でわかったことがたくさんありました。

あからさまな差別ではなく、なんとなく女性の方が家事育児をやるべきでしょう、そうなると仕事を男性のようにはできないでしょう、だったら経営が厳しくなったときには女性は辞めてもらっても仕方ない、というような空気での性差別。

――バブル経済直前ですね。

渡辺　そういう時代に、私の原点は理屈抜きに、そこにあった。息をするたび、一挙手一投足、その瞬間瞬間、生きていることを実感せざるを得ない。極限状態ってそうことです。

実家に戻ってからは近所のスーパーで働き、そのあとは公立保育園の給食調理の仕事を得ました。当時、給食調理というのは離婚母子家庭など、女性が働かなければならない家庭の人のための優先枠があったんです。他にも緑のおばさんなんかもそうでした。困窮するであろう人を公共が、公務員という形である程度保証していた部分があった。いまはみんな民間委託です。母子家庭のノンエリートの女性の職業の選択肢は狭まったし、それどころか、図書館の司書や保育士のように公共施設に勤めていても、民間委託や非常勤職員で、正規の公務員よりもだいぶ待遇賃金が低い。そういう面ではいまの社会の方が劣化しています。

私も区の公務員として職を得たんですが、そこで壮絶ないじめに遭ったんです。いまはパワーハラスメントという言葉がありますけど、現実には昔からある話で、大きなしゃもじで痣ができるほどバンバン殴られたりしていました。親にも誰にも相談できなかった。「あんたが勝手に母子家庭になったんだから、自業自得だ」と言われるだけで。当時は大学に進学する女子は1割程度という時代ですから、親からすると、せっかく大学までやったのに勝手なことをしてという思いがあったのでしょう。

つらい時代でしたが、そういう経験があるからこそ、いまシングルマザーについて考え、話ができるわけです。その話にシングルマザーの皆さんも共感してくれて、私と同じですねと、皆さん泣いちゃうんです。シングルマザーを取り巻く世間も社会の偏見もいまだに変わっていない。私もいまだにシングルマザーということで、SNSでもディスられています。でもれいわ新選組の参院選の候補者は互いに仲がいいというか、リスペクトしあっているんですけど、その皆さんが私に対して「あなたが当事者としていちばん強い」と言ってくださる。それはやっぱり、そういう経験があるからなんですね。

――参院選のときのれいわ祭りでは、30代くらいの女性たちが渡辺さんと握手しようと列をなしている光景を目撃しました。こういう選挙運動の場面を見たのは初めてでした。給食の仕事の後、派遣社員になったんですよね？

渡辺　そうです。給食調理の仕事はいじめられてつらかったけれど、5年間は我慢して勤めました。でもあんな職場で一生を過ごすなんて嫌だった。だから、その後いろいろありましたけど、最後には派遣社員になって不安定雇用になりましたが、後悔はないです。その公務員の給食調理を辞めた後の最初の仕事は生命保険の営業でした。いわゆるノンエリートの女性のやりそうな仕事はひと通りやりましたね。生命保険の営業は離婚母子家庭の方が多かった。離別母子家庭は死別母子家庭と違って、「女に我慢が足りない」とか、別れなきゃならないような夫を選んだ責任も問われたりするんです。いちばん自己責任の言説に苦しめられているのが母子家庭だと思います。

でも現実の日本の母子家庭は、世界で最も働いている人の割合が多く、同時に貧困の割合が8割強で、これも最多です。他の国の母子家庭は、子どもが小さいうちは働いていないんです。つまり、本来は公共の問題で、社会としてカバーしなきゃいけない問題であるにもかかわらず、そうなっていないのが日本の母子家庭なんですね。「働け」と言われるのに、子育てと両立で

きる仕事は用意されていない。2年前の流行語大賞に「ワンオペ育児」という言葉がノミネートされましたけれども、あれは共働き家庭で、夫が出張や残業で妻がワンオペ育児になり大変だ、という話でした。でも母子家庭はずっとワンオペ育児が続くんです。二親家庭でのワンオペ育児を語るとき「これじゃまるで母子家庭だよ」なんて喩えられますけど、そういうところで本当に苦しい母子家庭のことを気軽に引き合いに出さないで、と思いますね。全然違いますから。

会社では男性並みに働け、家に帰ったら家事育児もやれ

――現在のシングルペアレントに社会的施策として最も必要なことはなんですか。

渡辺　いまも児童扶養手当はありますが、支給要件がものすごくきびしい。子供1人の場合、年間所得87万円以下じゃないと満額にならないんです。満額といっても1人目の子だけで4万ちょっと。2人目で約1万円増えて、3人目以降は6千円しか増えない。2人目3人目が1人目の半分以下で育てられるわけがないのに。しかも年間所得がそれだけということになれば、本来なら生活保護を支給されてもいいくらいなんですが、母子家庭だけでなく、生活保護を本来支給すべきである人にも払われていない。保護が必要な人の捕捉率がすごく低い。さらに、一度生活保護を受給してしまうと、そこから抜け出るのが難しいという問題もあります。なぜかといえば、男女の賃金格差がひどいことと、女性は男性並みには働けないということがあります。男性並みに働けば正社員になれますが、それも本来はおかしい。ライフワークバランス

がなされていない状況で子育てを犠牲にしないと正社員になれないというのが日本の企業が求める働き方なんです。でも男性だって、妻が病弱だったりすると、子どもを育てなきゃいけない。もちろんシングルファーザーだっています。あるいは親を介護しなきゃいけない人だっている。そういうふうに、家に面倒を見なきゃいけない家族がいる人が、ちゃんと正社員として働ける状況にないという、日本の雇用のあり方が根本的におかしいと思っています。

――経団連は最近、一括採用や終身雇用をやめる方向に進んでいますけど、そのことで女性の閉塞的な人生が救われる部分はありますか？　これまでのような終身雇用や年功序列システムからはみ出してしまう人たちにとって良くなることはありますか？

渡辺　逆ですね。下方修正ですよ。経団連が一見いいことを言っているように聞こえるのは、全部オセロの駒のようにひっくり返っちゃうんです。結局はみんな低い方に押し留められるだけ。

そもそも終身雇用というのは制度ではなくたまたまの結果です。日本の雇用慣行は新卒一括採用、新卒プレミアムです。それから終身雇用と年功序列、企業内組合という問題があります。その日本的慣行のどの恩恵にもまったく預かることができないのが、シングルマザーをはじめとする多くの女性たちです。これを根本的に見直すとすれば、直接雇用で無期雇用であり、かつ生活に足る賃金を得るという雇用の大原則をヴィジョンとして掲げたいですね。

具体的には「同一価値労働同一賃金」です。「同一労働」ではなく「同一価値労働」。たとえば消防士と看護士とでは仕事の内容が異なりますけれど、消防士の方がエライということはないですよね。単純に同じ仕事をしているから同一賃金、ではなく、業務が違っても一定の基準に基づいて判断する。本質的なところで労働の価値をはかることにしないとダメです。たとえば職場の環境が厳しいかとか、責任が重いかとか、意思決定をすることが必要であるかなど、いくつかの判断基準を作ってそれに基づいて評価する。基準はＩＬＯ（国際労働機関）が決めています。それをかなり捻じ曲げたのが、いま厚労省が言っている「同一労働同一賃金」なんです。日本では、能力を客観的な基準で測ることができないので、たとえば残業が多いやつがエライとか、転勤できることに重きを置くとかね。転勤すれば家族の居住地を変えることになりますが、それは能力とは直接は関係ありませんよね。でも日本では、家族や家庭を犠牲にしてまで会社に忠誠を尽くせるかどうかということを、その人の能力として置き換えないと客観的な基準を設けることができない。だから、その人が本当に有能な人間かどうかを見分けるのは難しいんですね。

―― 日本社会での性差別は本当にひどくて、いま渡辺さんがおっしゃったことの根底にも性差別があるわけですよね。企業だけでなく、家庭内の性差別もある。

渡辺 そうです。いたるところに性差別はあり、企業はその性差別を利用していると私は思います。あからさまな差別ではなく、なんとなく女性の方が家事育児をやるべきでしょう、そうなると会社の仕事を男性のようにはできないでしょう、だったら会社の経営が厳しくなったときには男性は一家の大黒柱で辞めさせることはできないけど、女性は辞めてもらっても仕方ない、というような空気での性差別。あるいはより責任の重い仕事に男性をつかせる。責任が重いということは、それをやりきると評価も高くなる。で、女性はより責任が軽く、誰にでもできるような仕事に就かせることで、低いままに留め置く。男性にも女性にも能力の高い人はい

男女雇用機会均等法ができたと同時に派遣法ができた。男女の賃金格差はダメだということになったから派遣法に横滑りさせたわけです。構造的に男女差別を温存したまま別の構造を作った。だから派遣法の問題は女性労働の問題なんです。

るにもかかわらず。その考えで、仕事の入り口で女性を締め出したのが東京医大の入試問題ですよね。男性は最初からゲタをはかされているということになると、男というだけで医者になった人もいることになり、そんな人に私たちの体を委ねていいの？　って思います。

――普通の国は、女性やマイノリティにアファーマティブアクションをやってきたのに、日本は多数派の男性をその対象としてきたわけですね。

渡辺　そうそう（笑）。政治でもパリテと言って、男女同数にすべきだと言われていますが、それは当たり前のことなのに、「なんで女性を優遇するんだ」なんて言われますよね。日本のジェンダー指数が低いのはとくに政治と経済部門です。意思決定の領域に女性が食い込むことができない。だからいまの日本ってこんなふうに具合が悪いんだと思いますね。

――政治の世界でこんなに女性が少ない最大の理由はなんだと思いますか？

渡辺　政治の世界に男性原理が強固に残っていることですよね。政治家の活動や考え方の中に男性原理が埋め込まれていて、その既得権を男性が手放さない。フィンランドでは34歳の女性が首相になりましたよね。他にも北欧はすごいですが、なぜかというと人口が少ないので、男性だ女性だと言っていられないということがあります。優秀な人にやってもらわなきゃならない。ある意味日本は「大変だ」と言われますが、逆説的にいえばまだ余裕があるんですよ。頭の悪いバカ親父連中に任せる余裕がまだある。70年代は北欧も日本とたいして変わらなかったんです。でも経済不況を打開するために、女性にも頑張ってもらわなきゃならないということになった。日本にも女性活躍推進法があるけれども、あれは性別役割分業を温存させたまま、女性の有償労働と無償労働の両方を強化するものです。会社では男性並みに働け、家に帰ったら家事育児もやれ、ということですから。

——最初の雇用機会均等法のときからそうでしたね。男性並みにやることが条件だと。

渡辺　そうです。女性への保護法を取っ払わなきゃ雇用機会均等法は通してやらないというような攻防があり、数少ない当時の労働組合の女性役員とか、ＮＰＯの活動家がものすごくがんばった挙句の苦渋の選択だったんです。１９８５年は男女雇用機会均等法ができたと同時に、派遣法ができた年でもあった。雇均法上は同一企業内での正社員の男女の賃金格差はダメだということになったから、派遣法に横滑りさせたわけです。構造的に男女差別を温存したまま別の構造を作った。だから派遣法の問題は女性労働の問題なんです。そこに私は普遍性があると思っています。

派遣は分断の最高の形

——渡辺さんが派遣で働きはじめたのは何年のことですか？

渡辺　２００１年です。派遣法は90年代に2度、規制緩和によって派遣労働者が担う業務が拡大するという形で改悪されていき、本来の派遣のあり方からだいぶ変わってきていました。製造業を含む広い範囲に派遣が解禁されて、ルーティンの定型業務でも正社員と同じ仕事をさせてもいいという状況になっていた。でも派遣はいつでもクビを切れるし、ボーナスや退職金もいらない。しかも即戦力がある。となれば、そりゃあ派遣に仕事させるに決まってますよ。女性の働く場所が増えたと喧伝されましたから、「気軽に仕事ができて、都合によって辞められる、自由な働き方」というイメージがありますし、それまでは大卒女子を雇わなかったような大企業が派遣によって女性の新しい雇用を生んだというような言い方もされたりしますが、それは違います。正社員の雇用を減らして派遣に置き換えているだけなので、新しい雇用は生まれていません。じっさいに統計でも、正社員が減った分、派遣や非正規が増えています。

――　渡辺さんの経験から見えるのは、派遣で働きはじめた女性が20年後にどうやって切られることになったかということですね。

渡辺　２年前、派遣で働く者が軒並み切られました。だいたい50代です。ベテランの事務の方が何人も切られました。すべての業務での派遣期間の上限設定を盛り込んだ２０１５年の大幅な改悪時に、すでに２０１８年問題として予測はされていましたけれど、それが前倒しされて、大量の派遣切りになりました。私は派遣法や労働契約法など非正規の労働者に関わる法律を知っていたので予測できましたが、それでも見込みが甘かったのだから、一般の方たちにとっては青天の霹靂だったと思います。

　派遣先企業に団体交渉の申し入れをするために、労働組合や記者の方たちと押しかけたことがあります。そのとき元派遣先の人事部長に「何年勤めても派遣だから関係ない」と言われました。17年近くもの期間、パワハラやセクハラを受けながら、月に百時間以上の残業をし、正社員の３倍働いていましたので、周囲からは「渡辺さんはいつでも正社員になれるよ」と言われていましたし、じっさい部長の推薦を得て正社員になりかけたんです。でもその過程で派遣先の役員から、「派遣の女の老後なんか知ったことか。派遣は正社員の雇用の調整弁なんだから」と言われました。それが企業の本音です。

――ユニオンに入ったのは。

渡辺　辞めてからですね。その前は入りたくても入れませんでした。なぜなら3ヶ月更新を反復していたからです。企業側は年4回、いつでも辞めさせるタイミングを担保しているんです。それが派遣を使うことのメリットの一つですから。やっていた仕事自体は、事業年度を通してある仕事で、期限のあるプロジェクトではないのに、あえて3ヶ月ごとに更新する。気に入らない人間はいつでもすげ替えるという意志の表れです。だから労働組合に入って権利主張をしたりすれば、絶対に首を切られると思っていました。労働者としての権利を行使することができない構造にがんじがらめになっているんです。仕事と、労働組合で活動をすることのどちらかを選ばなければいけないというトレードオフなら、そりゃあ仕事あっての労働組合運動ですから、仕事をとらざるをえない。そのことを知らない人が労働組合にも多い。派遣社員も本来は企業内の組合に加入するべきですが、正社員と派遣との間の労働者同士の対立が、雇用の区分で階層化されてしまっているんです。それが労働者一人ひとりの意識にも刷り込まれている。そういう意味で、派遣という形態は分断の最高の形ですよ。派遣同士でも横のつながりはできません。なぜなら複数の派遣元会社から来ていますから。同じ業務だとしても派遣元会社によって、あるいは人によって賃金が違う。これが正社員だったら春闘で一律ベースアップということになりますが、派遣は交渉はおろか、自分の賃金がなぜこの値段なのか知ることさえできません。だから努力目標も立てられないんです。

「生涯現役」の欺瞞

企業は自分のところの利益、都合だけを考え、各企業が皆同じことを考えると、それが社会の歪みや矛盾になっていき、結局個々の企業にとってもよくない状態になっている。それを調整するには政治の力が必要です。

――ネオリベ経済は向上心や努力を推奨していますよね。

渡辺　詐欺のようなものですよ。派遣元会社のお抱えの学者の論文も金融系の論文も読みまくりましたが、それは完全に嘘だと論破できます。そういうことに対して国会でロビー活動をしました。派遣法はおかしい、私たち派遣労働者はこんなに頑張っている、お抱え学者の推奨する論理は間違っている、そういうロビー活動をしていました。それで２０１５年、数年後に改悪されるとわかったときですが、派遣労働者当事者の発言が目に止まって、参議院の厚生労働委員会で当事者として登壇する機会を得たんです。

　野党第一党の民主党には労働のことをちゃんと分かっている連合系の議員もいますが、やっぱり派遣労働者は組織化されないので、限界がある。だから当事者が自分でやったほうが早いんじゃないかと思っていました。ただ、選挙にはあまり関心がありませんでした。市民の声がもっと届くようになるべきだなとは思っていましたけど、議員になることは考えていなかった。

　派遣を切られてからはバイトで食いつないでいたんです。派遣元と団体交渉をしていたんですが、その間は派遣の仕事を紹介されはするんですが、決まらない。嫌がらせもあったと思いますが、年齢差別もあります。男女問わず50歳すぎると派遣の仕事はなくなる、それが派遣の間での定説です。

――にもかかわらず、政府からは70歳まで働けと言われていますよね。

渡辺　あれはなにをイメージしているのか分からないんですよね。最近、建設現場のガードマンで、小柄な人がいるなと思うと女性だったり、それも私より年齢が上のように思われる人だったり。70過ぎの男性もよく目にします。スーパーのカートを整理している人なども足元がおぼつかない。とてもじゃないけど、健康と小遣い稼ぎのための仕事とは思えない必死さがある。これからはみんなああなるんじゃないでしょうか。いま人手の足りない分野は介護ですが、70歳の介護職員も珍しくない。安倍政権はすごく恵まれた人を基準にしている。たしかに企業で正社員で長年働いて、そのノウハウや経験を伝承していくために残ってくださいと言われる人もいるでしょう。でもそんなのほんのひと握りですよ。しかも会社まで通う健康も兼ね備えていなければならない。そんないくつもの条件をクリアしている人でないと、「生涯現役」という言葉に乗ることはできないんです。派遣や非正規の人は、ちゃんとした職業訓練を受けないままに、そのときどきで糊口をしのぐ仕事で生き延びてきているだけです。そういう人たちの「生涯現役」というものがどのようなものなのか、具体的にイメージできるのかという話です。

いま、ロスジェネの問題にやっと予算がつきました。ロスジェネといってももう40過ぎです。その人たちにいまから職業教育ができるのか、できたとして、企業の側にその人たちを受け入れる土壌と余力とポリシーがあるのかということが問われます。ミスマッチングはどうするのか？　きめ細かな人材育成と採用力がなければいけないし、単純に人手が足りないところに、ロスジェネとか高齢者になっても低年金で働かざるを得ない人たちを、労働調達という形で押し込めることはあってはならないと私は思います。「あんたらは職業選択の余地なんてないんだから、やりたいやりたくない、向き不向きなど関係なくやれ」というのがいまの雇用政策ですので、どんなにシュガーコーティングされた言葉でそそのかされようとも、それに惑わされてはいけない。一人ひとりの尊厳が守られる、生活できる、安心して働ける安定した職場であ

る、やりがいのある職場である、それらが提供されるかどうかがカギですよね。

――そのために必要なものは？

渡辺　政治の力は必要です。いまは「合成の誤謬」の状態なんです。企業は自分のところの利益、都合だけを考え、それがロスジェネ世代を生んだ。各企業が皆同じことを考えると、それが社会の歪みや矛盾になっていき、結局個々の企業にとってもよくない状態になっている。それを調整するには政治の力が必要です。施策としては、一つは同一価値労働同一賃金を徹底させること。もう一つは、派遣法を本来の形に戻して、例外的にごく一部にしか派遣を認めないことにしなければいけない。さらに、前にも言いましたが、直接雇用、無期雇用、生活賃金の三つがちゃんと保障されること。それは規制でやるべきです。それがれいわの政策です。最低賃金１５００円を政府の責任で保障する。私がもともと思っていたことと、れいわの政策は全部合致するんです。

当事者こそが社会を変える

――山本太郎さんとの出会いは？　昨年の立候補の経緯も教えてください。

渡辺　２０１９年の６月に、生活困窮者の住宅問題を考える国会議員向けの院内集会へ行ったんですが、議員たちは挨拶だけ済ますといなくなっちゃうんです。ところが山本太郎さんは最後までずっと残っていた。えらいなと思って、そのときに名刺交換をしました。そのときはまだ、れいわ新選組を作ったことと、蓮池透さんが立候補することになったことくらいしか知りませんでした。その後、7月2日の夜に、山本太郎さんの動画を作っている友人から「協力してほしい」と電話があったんです。それで私は「ああ、人手が足りないんだな。ボランティアが足りないんだな」と思って「いいですよ」と答えた。「じゃあ、あとで太郎さんから電話がかかってきます」ということだったので、「ボランティアも、太郎さんがひとりひとり声をかけていかないと足りないのか」と勝手に思っていたんですが、いざご本人の電話に出ると、「渡辺照子さんですか。今度選挙に出ませんか」と。電話一本でそれを依頼するって普通ではないですよね。

――国会議員としての山本太郎さんに対するイメージはどういうものでしたか?

渡辺　孤立無援でがんばっている議員だなと思ってましたね。他にも原発のことをがんばっている人はいましたけど、彼はそれをとことん突き詰めて議員になった人だと。私はとにかく派遣法のことしかやっていませんでしたから、あまり知らなかったんですけれど、大河ドラマの『新選組!』に出ていた人だということと、あの世代にしては珍しい演技力の人だとは思っていたんですよ。でもみんなは「メロリンQ、メロリンQ」と騒いでいた。なんだろうと思って検索してみたら、ちょっとびっくりしちゃって(笑)。事前にこの人だとわかっていたら受けていなかったかも(笑)。同年代の人たちにはすごく人気がありますね。でも考えてみると、彼は16歳のときに、誰にもプロデュースされずに自分で考えたわけで、しかもアピール力もある。借り物じゃない自分の言葉だから、すうっと入ってくるんですよね。気合いだけ、精神論だけ言っているわけではなく、ちゃんと数字を出して客観的な裏付けを持っている。意味のある、血の通った数字を示してくれるんですよね。

無関心層も多いけれど、私の実感としては、多くの人が政治に無関心なのではなく、政治の方が多くの生活に困っている人たちに無関心なのではないかということです。

――れいわ新選組はどうなっていくといいと考えますか？

渡辺　私は、当事者の候補がどんどん出てくればいいと思っています。当事者こそが専門家だと、自分のこととして思いますので。その当事者性が最も強いのは障害者です。木村（英子）さんと舩後（靖彦）さんのお二人が特定枠になったことは、ものすごく必然性がある。あのお二人のような方たちは、24時間介護してくれる人がいないと、誰もが当たり前のこととしてやっている営みができない。そうすると、どういう人たちに介護をお願いするかということからはじまり、「当たり前の生活をするために、当たり前でない営みをつねにつねにする」ということをやっていかなきゃならない。そこには行政サービスや政治の仕組みが否が応でも絡んでくる。だから政治に行き着くのは必然なんです。逃げることができない問題、コンフリクトに立ち向かうのが当事者だと思っています。

　だから特定枠で二人にやってもらったのは最高の形だと思います。結果として、たった2議席の政党にもかかわらず、存在感がすごいですよね。実際にすでに変えたこともありますし。あのお二人は、舩後さんは企業活動、木村英子さんは地元で障害者運動をやっていらっしゃって、もともと頭角を現していた方なんです。英子さんの官僚との交渉力や発信力には生半可でないものがあります。実績を重ねてきた方でもあるから、当事者というだけでなく、即戦力でもあるんです。そういう意味でも尊敬すべきお二人です。

――渡辺さんは次の衆議院選挙に立候補しますか？

渡辺　ええ。参議院選挙では下駄を履かせてやらせてもらったので、今回が本当の戦いだと思っています。衆院選はそれこそドブ板で、一軒一軒にポスターを貼らせてくださいとお願いすることからやっていくんです。この政党は既存の政党とは違います。上が決めたから否応なくやれということではなく、各地方に勝手連のようなサポーターができてきていて、党からお願いするのではなく、それぞれの方がやむにやまれずれいわを応援している。こういう動きというのはあんまりなかったんじゃないでしょうか。れいわの政策に共感したそれぞれが、やりたいこと、やれることをやっている。

――そのような党の作り方もチャレンジですね。

渡辺　そうです。これまで党利党略とか組織に個人が押しつぶされて、本来目指していたはずのものが党という組織の存続のためのものに変わってしまい、本末転倒になってしまうことの弊害を嫌というほど味わっている人たちが、れいわの新しいやり方を模索して、具現化しようとしているんです。

参議院選挙は投票率が低いと言われています。たしかにじっさい無関心層も多いけれど、私の実感としては、多くの人が政治に無関心なのではなく、政治の方が多くの生活に困っている人たちに無関心なのではないかということです。本当に困っている人が、「2、3日前に自殺しようと思ったんですが、今日太郎さんが話すのを聞いてきました」というようなことがあるのですから、その人たちのためにこそ政治というものはあるべきではないかと思います。諦めて生きるには人生は長いですよ。でも諦めないで、なんとかしなきゃと思うと、人生の時間は限られている。

（取材：水越真紀）

渡辺照子
（わたなべ・てるこ）
元派遣労働者、シングルマザー。女性労働問題研究会会員。レイバーネット日本運営委員。雇い止めになったときの記録映画に『わたしは黙らない　派遣労働者・渡辺照子のたたかい』がある。共著に「『一般事務』派遣のキャリアアップのウソ」（『女性労働研究』№57、青木書店）、「格差・差別にあえぐ派遣の女性労働者、そのエンパワーメントの方法を探る」（『女性労働研究』№60、すいれん舎）、「派遣労働者から見た『雇い止め』」（『女性労働研究』№63、すいれん舎）。

編　集　後　記

これを書いている3月30日、新型コロナウイルスによってすでに音楽シーンは経済的被害を被っているが、無利子で金を貸すという以外は、いまだ政府からの具体的な援助策は見えていない。一介の音楽メディアを編集する私たちがこのような特集に踏み切ったのは、日本の政治に対する危機感と山本太郎が掲げる政策への期待感ゆえ。とはいえ、どこの馬の骨ともわからぬメディアにお付き合いいただいた識者の方々にはあらためて深謝する次第です。取材はほぼすべて新型コロナウイルスの脅威があらわになる以前におこなっているが、語られている言葉は、政治が問われている今だからこそよりしたたかに響いているのではないだろうか。（編集部）

ele-king 臨時増刊号
山本太郎から見える日本
2020年5月1日　初版印刷
2020年5月1日　初版発行

編集　野田努＋小林拓音（ele-king）
編集協力　Cargo　土田修
協力　山﨑香穂
装丁　渡辺光子
発行者　水谷聡男
発行所　株式会社Pヴァイン
〒150-0031
東京都渋谷区桜丘町21-2　池田ビル2F
編集部：TEL　03-5784-1256
営業部（レコード店）：TEL　03-5784-1250
FAX　03-5784-1251
http://p-vine.jp

発売元　日販アイ・ピー・エス株式会社
〒113-0034
東京都文京区湯島1-3-4
TEL　03-5802-1859
FAX　03-5802-1891

印刷・製本　シナノ印刷株式会社

ISBN 978-4-909483-52-2

ele-king books